旬報社

はじめに——徹底抗戦宣言

○自民党つぶしてでもと言ったわね

小泉純一郎が首相の頃の『毎日新聞』にこんな川柳が載った。

しかし、小泉の〝決意〟はあくまでも見せかけだけで、本当につぶそうとした長野県知事（当時）の田中康夫は、そのために長野の自民党県議たちから不信任を突きつけられた。

あの時、小泉の「改革」のポーズに踊らされて、私たちはいま、小泉が後継に指名した安倍晋三のデタラメで無責任な政治に苦しめられている。

「クレタ人は嘘つきだ」とクレタ人が言ったらどうなるか？　論理学の教科書にこんな命題があるが、小泉はもちろん、安倍も「クレタ人は嘘つきだ」と言っているクレタ人である。

一九四五年八月一五日に、ただ一人、戦争責任を感じて朝日新聞をやめたむのたけじは、日本人を蝕んでいるのは中途半端という病気だと喝破した。

むのは東京外語の学生時代、半信半疑というコトバを使って、スペイン人の教

師に、

「それはおかしい」

と言われたという。

半分疑っていることは信じていないということだと指摘されたのである。

そうした、いわばアイマイ病が安倍や小池百合子の存続を許してきた。

鶴彬という川柳作家がいた。本名は喜多一二。一九〇九年、石川県に生まれた鶴は刺し貫くような激しい反戦川柳をつくって逮捕され、赤痢にかかって病院のベッドに手錠でくくりつけられたまま、二九歳で憤死した。
○蟻食いを噛み殺したまま死んだ蟻
その鶴がつくった川柳である。蟻が蟻食いを噛み殺すことはない。しかし、ありえないと思ってあきらめず、それをありうるかもしれないと思わせる激越さが徹底抗戦の思想の原点である。タダでは殺されないぞという燃えたぎる闘志がそこには潜む。
○修身にない孝行で淫売婦
○手と足をもいだ丸太にしてかへし
○万歳とあげて行った手を大陸へおいてきた

文字通り肺腑をえぐるようなこれらの鶴の川柳には痛烈な諧謔精神がある。この種のユーモアも徹底抗戦には欠かせない。

私の好きな毒絵師に山藤章二がいる。『朝日新聞』に「新・会社考」を連載していた頃、山藤の描く私のコワモテの似顔絵がそのコラムを飾っていた。辛口とか激辛とかいう私のイメージは、あの似顔絵で決定づけられたところがあるのだが、私の母親はそれを見て、姉に、

「アレがズーッと載るのか」

と言ったらしい。

ヒイキ目で、息子はもう少しイイ顔だと思っていたのだろうか。初対面で、ある人に、

「サタカさんて笑うんですね」

と驚かれたこともある。泣きもし、笑いもする。できれば、どちらもアイマイにではなく、徹底して泣いたり笑ったりしたい。

コワイ人という私のイメージをつくった山藤の『忘月忘日6　アタクシ絵日記』（文春文庫）に、私のことがこう書かれている。

「とにかくこの人、テレビや活字で見るたびに、誰かれもなく斬りまくってい

る。それもユーモラスとか風刺とかの変化球ではない。『詐欺師』『盗賊』あたりはまだいい。人間に籍があるから。時には『痰壺』、『肥だめ』などと、紳士にあるまじき評言で斬る。だからスカッとする」

また母親を出すが、確かに「政治家にモラルを求めるのはゴキブリにモラルを求めるに等しい」とテレビで言ったら、母親が、

「ほがに言いようねなが」

と山形弁で電話をかけてきた。

「他に言い方はないのか」である。

東日本大震災による東京電力福島原発の大事故が起こってまもなく、私は『原発文化人50人斬り』（光文社知恵の森文庫）を出した。

ビートたけしや吉本隆明、大前研一など実名を挙げて徹底批判して、

「そこまでやらなくとも」

などと言われたりもしたが、実名批判しないから、事故後も、佐藤優や山内昌之などの〝新・原発文化人〟がそれこそゴキブリのように出てくる。何の臭いに誘われてかは、言わずとも明らかだろう。

事故から三年経った二〇一四年頃だったか、地下鉄に乗っていたら、四〇代く

らいの女性に、

「あれだけの事故を起こしたのに原発は再稼働などと言っていますね」

と話しかけられた。

読書を中断されたこともあって、私は、

「原発は安全という太鼓を叩いたたけしが、いまもなお毎日テレビに出ているような国で原発なんか止まりませんよ」

と腹立たしげに返したが、彼女は、

「たけしにもいいところがあるんじゃないですか」

と抵抗する。それで私は声を高くして、

「たけしは、女に選挙権はいらない、と言ってるんですよ。憲法改正、徴兵制施行とも言っているし、それでいいんですか」

と反論した。

「そんなことを言ってるとは知りませんでした」

と彼女は体を小さくして別の車輛に移って行ったが、たけしと同じように、原発文化人やタレントはまったく反省していない。それは安倍や小池が呼吸をするようにウソをつくのと同じである。

私は中立を気取る人間は生きていないと極言している。死んだ人間は公正中立を求めてもいいが、生きている限りは偏るのである。

いまのテレビには姜尚中や池上彰など、自分の意見を言わない〝公正中立〟の解説屋があふれている。それについて、『創価学会秘史』(講談社)の著者、高橋篤史が「わかりやすいニュース解説を求める『池上彰』化」と表現していた。

書き手に対して読者が「もっとわかりやすく解説してくれ」とか、「どうすればいいのか答えを教えてほしい」と求めるようにばかりになっているということである。

そこには、自分はどう考え、行動するのかがない。客観的見方とかいって、観客席にすわりたがる。

そうした怠惰さにも私は揺さぶりをかけたい。徹底抗戦は敵に対してだけでなく、読者にも続けられるのである。安易に中立に逃げるな、解説で満足するななどと言ったら、多くはない読者をさらに失うだろうか。そんなことを考える私自身にも私は徹底抗戦する。

［目次］

佐高信の筆刀両断

思郷通信

佐高信の眼

佐高信の筆刀両断

年頭に叫ぶ「国家なんか糞くらえ」

二〇〇五年から続いて対談相手も一五〇人を越えた『俳句界』の「佐高信の甘口でコンニチハ！」の二〇一九年一月号は作家の西村京太郎に登場してもらった。

トラベルミステリーで知られる西村は、いま、戦争を伝えることにこだわっている。

西村の話で衝撃的だったのは夫が特攻で飛ぶのを止めようとして滑走路に寝そべった女性が二人いたということである。

一人は咎められて自殺し、もう一人は止めている間に終戦になったとか。

近刊予定の『新・現代を読む』は一九九二年に出した『現代を読む　一〇〇冊のノンフィクション』（岩波新書）の「新版」で、かなりの本を入れ替えている。

一〇〇冊のラインアップをほぼ決めたが、落としてしまった中で惜しいと思うのは殿山泰司の『三文役者あなあきい伝』（講談社文庫、のちにちくま文庫、いずれも絶版）。

PART2まであるこの自伝で、殿山はヒクヒクとかウレシイとか、ヒヒヒヒといった昭和軽薄体の元祖のような言葉をちりばめつつ、「パーマネントがゼイタクかどうか、おれはよく知らねえけど、戦争ほどゼイタクなものはないと、おれは思うけどね」といった怒りを噴出させている。

自らも軍隊生活を体験し、弟を戦争で亡くした殿山は、国家なんか糞くらえという思いを胸にたぎらせながら、しばしば、「ヤマザキ、天皇を撃て！」と叫ぶ。

これは、先年、映画化されて（「ゆきゆきて神軍」）評判となったあの奥崎謙三の過激な本の題名である。

殿山はまた、戦時中に、鹿児島の沖の村遊郭の娼妓だけが、「戦争へ行ッテモ死ナナイデネ」と言ってくれた、と絶叫する。

肉親も赤の他人も、みんな死ンデコイと言ったのに、名も知らぬその遊女だけは、こんなきらめくようなセリフを吐いてくれたというのである。

そして殿山はこう書く。

「オレは四年半も戦地へ行ってそして生きて帰って来たぜ。名も知らぬアナタよ、オレは生きて帰って来たぜ‼　大日本帝国の糞野郎！　国家なんてくだらねえものより、アナタのコトバはずんと重く、今でもオレのココロの底に沈んでいる」

やはり落とすことにした沢村貞子の自叙伝『貝のうた』（新潮文庫）によれば、沢村は昭和初期、日本の侵略戦争に反対して通算一年八ヵ月も投獄された。

そして出た後、アカで生意気だと白い目で見られた脇役女優の沢村を、銀座の太郎と呼ばれていた極道だけは、「なにしろ臭い飯の先輩だからね。あんたは」と言って一目おき、決して無理を言わなかったという。

「この人たちは、刑務所を知っているだけで親近感をもつらしい」と沢村は書いているが、それだけではないだろう。

沢村は簡単に〝転向〟せずにがんばりぬいたことを、そのオアニイさんは漏れ聞いていたのではないか。

沢村には日本エッセイストクラブ賞を受けた『私の浅草』（新潮文庫）という卓抜なエッセイ集もある。


（二〇一九・一・四）

日本はEUに入れない

EUからのイギリスの離脱をめぐって、紛糾はまだ続いているが、もし日本がヨーロッパにあったとしてもEUには入れない。それは加盟には死刑廃止が条件となっているからである。

それを改めて考えたのは、『レコンキスタ』の二〇一九年一月一日号で鈴木邦男が「死刑制度について」書いていたからだった。

新右翼の一水会の代表だった鈴木は、右翼の人は一〇〇％近くが「死刑存置派」で、「廃止派」は自分一人かもしれないと述懐する。

右翼はみんな「人を殺したら、自らの命で償うのは当然だ」と考えているという。

高校はミッションスクールで、大学からは「生長の家」の運動をしてきた鈴木は、宗教的観点から「生命の尊重」に思いを致し、死刑に反対するようになった。

鈴木によれば、フランスは一九八一年に死刑を廃止したが、その時の法務大臣のロベール・バダンが来日して講演し、「日本は世界で最初に死刑を廃止した国です。それなのに今度は、世界で最後まで死刑を残す国になろうとしています」と嘆いた。

鈴木はこれを聞いてショックを受ける。

日本は平安時代の二五〇年間、死刑を廃止していた。

死刑で殺された人間の怨霊が、地震、津波、大火などの大災害となって襲ってくると考えられていたからだ。

つまり、「人を殺すと祟る」と思われていたのである。それで死刑を止めて「島流し」にしたという。いわば無期刑のようなものだろう。

しかし、武士の世の中になると、それは迷信だと斥けられて死刑が復活し、いまに続いている。

現在でも、八割以上の国民が死刑に賛成と答えるが、いわゆる先進国の中で死刑を残している国は日本とアメリカの一部の州だけだと鈴木は指摘する。

「死刑廃止国は年々増え続けているのに、日本はどんどん取り残されていく。この問題をどう考えるのか。愛国運動をしている人も、今後、議論していくべきだと思う」と鈴木は書いているが、「愛国運動をしている人たち」だけでなく、死刑に賛成している人も熟考すべきだろう。

もちろん私は死刑に反対である。

「国家による殺人」という意味では、死刑と特攻は共通するものがあると思うが、前項の西村京太郎の特攻の妻についての発言は、佐藤早苗の『特攻の町　知覧』（光人社NF文庫）を読んだら、不正確だった。

一人は特攻を命ずる側の中隊長が自分は行かなくてよかったのに、あえて志願し、それを知った妻が止めようとしたけれども夫が意思を変えなかったので、二人の子どもを道連れに無理心中した。しかし、この事件は報道禁止になったという。

もう一人は滑走路に飛び出し、夫は妻を殴ったり蹴ったりした。再出撃の時にまた妻がやって来て波乱の一幕が演じられる。結局、夫は特攻に行くことなく終戦を迎えた。

「戦後、この夫婦は正常な夫婦として、仲良く暮らしているというが、真偽のほどは解らない」という。

（二〇一九・一・一一）

JOC竹田会長の裏に電通あり

フランスの捜査当局が日本オリンピック委員会（JOC）会長の竹田恒和を贈賄の容疑者とする予審手続きを開始したというニュースが衝撃を呼んでいるが、この捜査がさらに進展するかどうかは、ある人物が逮捕されるかに関わっていると言ってよい。

その人物とは電通顧問の高橋治之である。一九四四年生まれで私と同じ一九六七年に慶大法学部を出た高橋は電通に入り、常務、専務を歴任して、二〇〇九年に顧問となった。

大下英治の『電通の深層』（イースト・プレス）によれば、高橋は「サッカーワールドカップとFIFAを支える巨額のテレビ放送権料の取引の最前線に三〇年以上も立ち続けている」スポーツビジネス界の超大物だとか。

この高橋にフランスの検察当局から逮捕状が請求されているという話が大分前から流れている。竹田宮の子の恒和はもちろん、東京オリンピック・パラリンピック組織委員会会長の森喜朗もしょせんは素人であり、実質的には高橋が操って来た。竹田も森も操られる人形に過ぎないのである。

『電通の深層』は二〇一七年春に出たが、その時点で、こう書かれている。

「今もし、高橋に対して逮捕請求が出て、日本政府がそれに応じた場合、その時点で東京オリンピックは崩壊してしまう。だから、日本政府は絶対に高橋を引き渡さないはずである。オリンピック委員会の中で、高橋はそれほど力をもっているということなのだ」

しかし、カルロス・ゴーンをかなり強引に逮捕してしまったので、「絶対に高橋を引き渡さない」ということができるか。

高橋は電通の本社内でフレンチレストランを経営していて、おカネには困らないのだというが、その存在に日本のマスコミはほとんど触れない。疑惑を報じたのはイギリスの新聞『ガーディアン』（二〇一六年五月一一日付）だったという。電通の力だろうか。

高橋は弟の治則の方が有名である。やはり慶大法学部を出て日本航空に入った治則は、のちのイ・アイ・イ・インターナショナルとなる「国洋開発」を設立したが、バブルの崩壊で日本長期信用銀行の管理下に入る。

また、理事長だった東京協和信用組合が破綻し、一九九五年に背任容疑で東京地検に逮捕された。実刑判決を受け、最高裁に上告中の二〇〇五年にくも膜下出血で亡くなっている。

開催地が東京に決まった瞬間、安倍晋三や都知事だった猪瀬直樹が躍り上がって喜んでいる写真があるが、彼らが喜ぶオリンピックなどやめた方がいいだろう。

竹田恒和の息子の作家と称する恒泰は二〇一九年一月一三日付の『夕刊フジ』によれば、櫻井よしこが主宰するインターネットテレビで父親を擁護し、ゴーンの報復だとすれば、そんなことは「民度が低い国がやることだと思っていた」と語っている。

しかし、ネット右翼のようなことをほざく恒泰が存続を許されている日本こそ「民度が低い」のではないか。

（二〇一九・一・一八）

日産転落の真因

川勝宣昭著『日産自動車極秘ファイル二三〇〇枚』(プレジデント社)が売れているらしい。『絶対的権力者』と戦ったある課長の死闘七年間」がその副題だが、多分、私も会ったことのある著者のこの手記を読んでいて違和感が消えなかった。

ここで言う「絶対的権力者」とは労働組合のボスだった塩路一郎である。日本興業銀行から日産再建のために送り込まれた川又克二が塩路に第二組合をつくらせ、戦闘的な第一組合は切り崩された。その塩路が鬼っ子となり、経営にまで口を出すようになる。

川勝によれば、塩路はまもなく首相になる中曽根康弘とも太いパイプを持ち、一九七五年の東京都知事選挙では、石原慎太郎候補の参謀四人衆(他は浅利慶太、牛尾治朗、飯島清)の一人となったという。

川勝はこのボスを倒すため、国鉄の〝改革派〟だった葛西敬之を訪ねる。

葛西は現在、JR東海のドンであり、安倍晋三の取り巻き財界人の筆頭に位置するが、つまりは組合潰しでのしあがった人物である。

川勝がおかしいのは、左派的組合をつぶすことを当然の前提のように考えていることだ。

西武百貨店等を経営していた堤清二がこう言っている。

「私は、労働組合と企業側は本質的に利害が反するもので、その間で激しいやりとりとか闘争がないのはおかしい。闘争そのものをなくしてしまおうというのが労使協調で、それじゃ組合がある意味がないではないか、といっているのです。労使協調ではなく、労使共闘でなければならない、とね。例えば、労働組合は、内部批判者の役割を果たしてこそ存在意義があるのだと、私は考えています」

ヤマト運輸の小倉昌男が言った「労働組合は企業の病気を知らせる神経だ」に通ずる。

日産が第一組合をつぶしたことが転落の原因となったのである。第二組合の天皇の塩路を倒しても問題は解決しない。川勝のめざした方向への違和感はそこから来る。

ＪＲが安全面で大きな問題を抱えていることは改めて指摘するまでもないだろう。葛西らは川又と同じように国鉄に第二組合をつくり、左派的な国労を追いつめて行った。中曽根が民営化ならぬ会社化を成し遂げた後に、いみじくも述懐したように、国鉄の「分割・民営化」は国労とそのパートナーだった日本社会党つぶしを目的としていたのである。

堤流に言えば「内部批判者」つぶしだった。

中曽根「民活」の〝青年将校〟だった葛西が、いま、安倍のブレーンとなっているのは不思議ではない。とにかく批判を恐れ、それをなくしてしまおうという点で、葛西と安倍は瓜二つだからである。

〝企業再建の神様〟と言われた早川種三は実に魅力的な人物だった。批判者や対立者を恐れることなく、自然体で会いに行っていた。

葛西や安倍とは対極に位置する人物で、私はあの笑顔が忘れられない。

（二〇一九・二・一）

〝育ての親〟の岡留安則逝く

『噂の真相』文化人なるものがあるとすれば、私はまちがいなくその一人だった。同誌に「タレント文化人筆刀両断」を連載し、ある意味でそれが私の辛口イメージを決定づけたからである。同誌編集長の岡留安則が七一歳で亡くなったが、岡留は「『噂の真相』と佐高信は絶妙のコンビだと自負している」と語っていた。二歳年下ながら、書き手としての私にとって彼は〝育ての親〟だった。

「反権力のスキャンダル雑誌」である『噂の真相』には筒井康隆、アラーキー、田中康夫、ナンシー関らが連載していた。いずれ劣らぬ曲者たちである。

一九八七年一月号の「編集長日誌」に岡留はこんなことを書いている。

〈本誌（一九八六年）一一月号グラビアとコラムで扱った楠田枝里子サンの恋人・月刊『カドカワ』の見城徹編集長の代理人から内容証明が舞い込んだ。仕事柄、数多くの内容証明に接してきたが、見城氏が「私は一介のサラリーマン」ゆえ「慰藉料として二〇〇万円を五日以内に払え」として銀行名や口座番号を指定してきたのは驚きでもあり、筆者としても初体験の出来事だった。サラ金の取り立てでもあるまいに……。さっそく回答を内容証明で送付したが、本誌の記述内容は見城氏がかねてより自分で語ってきたことであり、天下の角川書店のヤリ手編集長というオピニオンリーダーとしても〝公人〟の立場を棚上げした勝手ないい分。『フライデー』が実名を出さなかったのも、見城氏がヤリ手編集長の立場で入手した他の有名人ネタとバーターを申し入れてモミ消した結果、といわれているのだから……〉

この見城はいまや、幻冬舎の社長というより、テレビ朝日の「放送番組審議会（番審）」の委員長となっている。皮肉を言えば、まぎれもなく〝公人〟となったのだ。

『官房長官　菅義偉の陰謀』（河出書房新社）でも血祭りにあげたが、「はじめに」に書いたように、そもそもこの本は岡留からの注文に応えたものだった。

『噂の真相』の連載をまとめた『タレント文化人200人斬り』（河出文庫）上巻の解説で岡留は、安倍の黒幕的役回りを演じている菅の本性を知りたいとし、「政界で仕えた梶山静六との政治的スタンスの違いのルーツが見えない」ので、「その謎に関して佐高流の筆刀両断をぜひ読んでみたい」と結んでいた。

三年余り前に岡留からそういう宿題を与えられて、私はそれに挑んだのである。

沖縄に行くと電話をかけて会っていた。最後に会ったのが何年前だったかは思い出せない。私との対談で岡留は、竹中労の片鱗を見たから私に連載を頼んだ、と言っている。竹中も私も猫好きという話になり、岡留に猫は嫌いかと尋ねたら、

「僕は猫飼ったことないですよ。独身が猫飼ったら哀しいですよ」

と笑っていた。

（二〇一九・二・八）

望月記者を孤立させるな

落合恵子、鎌田慧、そして私などが選考委員となって始まった「むのたけじ地域・民衆ジャーナリズム賞」の第一回大賞に北陸朝日放送の『言わなければならないこと――新聞記者・桐生悠々の警鐘』が決まった。

その中に『東京新聞社』社会部の望月衣塑子記者が登場する。彼女が臆せず官房長官の菅義偉に食い下がる場面が収録されているのである。

しかし、二〇一九年二月八日付『朝日新聞』の社説によれば、首相官邸の報道室長が二〇一八年末、「内閣記者会」宛てに望月の質問を「事実誤認がある」と問題視する文章を示したという。

よほど嫌なのだろうが、『朝日』が指摘するように「記者会見はそもそも、当局に事実関係を確認する場であり、質問に誤りがあったとしても、その場で正せばすむ話だ。特定の記者を標的に、質問の制限を求めるような今回のやり方は不当であり、容認できない。政権の意に沿わない記者の排除、選別にもつながりかねない」のである。

彼女は七日、菅に代わって記者会見に出た官房副長官の西村康稔に「申し入れは私や社への圧力」と前提した上で質問を続けたという。

私は彼女と二〇一八年の六月二八日に対談し、それは『俳句界』の九月号に掲載されたが、その時は、バッシングが来るかという私の質問に、「今はほとんどない」と答えていた。

しかし、やはり菅が質問を制限するようになり、手を挙げても「あ、今の方、一問でお願いします」と言われる。他の記者はこれまで通り三つも四つも聞けるのに望月だけが一問なのである。それで、政治部長経由で抗議しようと思ったが、ツイッターで「私だけが制限された。理由も明かされないし、なぜなのか」とつぶやいたら、三〇〇〇ものリツイートがあり、おかげで二問聞けるようになったと言っていた。

『言わなければならないこと』の映像を見ても、菅は彼女の質問にまともに答えていない。「〇〇に聞け」とか、「〇〇が答えた」、しまいには「あなたの質問に答える場じゃない」である。

私との対談の最後で彼女は「私に続く人がもっと出てくれれば、政治の空気が変わるだろうし、官邸会見の場だって変わる。あれでいいと思っていたり、もしくは既得権益の人たちが、もう来るなと言っているなんて、非常に歪な会見ですよね。最初から用意されたことを読んでいるだけで、アメリカの会見に比べると、全然ガチンコで勝負していないし。物足りなさを感じるんですよね」と嘆いていた。

そして、「官邸会見では浮いていますがバックにいる人たちの存在、いろんな人の思いがよくわかるようになりました。あの会見の場に行ける人は限られているから、それを背負って聞かないといけない、と思いますね」と告白していたが、彼女を孤立させ、孤独感を感じさせたら、安倍晋三や菅の思う壺だろう。

私は『官房長官　菅義偉の陰謀』（河出書房新社）の第四章「憲法を求める人びと」で前川喜平に続いて彼女を取り上げた。

（二〇一九・二・一五）

石橋湛山の元号廃止論

元号論議がかまびすしい。

『朝日新聞』の主筆を経て政治家に転じ、吉田茂内閣の官房長官をやった緒方竹虎は記者時代、「大正」をスクープした。

「九州男児がイギリス風のものを身につけてる感じ」と徳川夢声が評した緒方の仲人は右翼の大立者の頭山満であり、岳父は枢密院顧問の三浦梧楼だった。

その三浦があっさりと「元号は大正と決定した」と教えたのである。

『朝日』はこの特ダネを号外で報じた。

緒方は次期総理まちがいなしと言われた時に病気で急逝したが、同じ自民党で緒方のライバル視されたのが石橋湛山である。

湛山が一八八四年生まれで、緒方が一八八八年生まれ。正確には緒方がかついだ吉田と湛山が推した鳩山一郎が政敵になったので、緒方と湛山が手を組む日は来なかったのである。

ともにジャーナリストから政治家へ転身したのだが、この二人には決定的な違いがある。それは、緒方が元号をスクープしたのに対し、湛山は一九四六年一月一二日号の『東洋経済新報』に「元号を廃止すべし」と書いていることに表れている。

私は『湛山除名』(岩波現代文庫)という湛山についての評伝で、戦時中はともに反東条(英機)の論陣を張りながら、その文章、文体において、根本的に違うところがある、と書いた。

「緒方の文章が美文調であるのに対し、湛山の筆鋒には自ら酔うような調子は感じられない。あくまでも冷静に鋭く対象を突く剣のような感じである。それは当然、何を書くかにも影響を与える。あるいは、どんなことは書かないかをも左右するのである。文体がテーマを決め、テーマが文体を決める」

右翼が『朝日』を襲い、緒方が代表者として対した時も、緒方は仲人が頭山であるとは決して言わなかったということなどを含めて、私は緒方を傑物だとは思うが、緒方のペンでは「元号を廃止すべし」とは書けないのではないか。

湛山は一九四五年一〇月一三日号の『東洋経済新報』の「社論」では「靖国神社廃止の議」とも書いている。

それはともかく、「元号を廃止すべし」では、まず、中国の制度の模倣として大化の改新の時に元号が建てられたと説き、年号を定められない天皇は天智天皇他、何人かいたと付け加える。そして、こう指摘するのである。

「此の支那伝来の制度のために常に我が国民はどれ程の不便をなめているか。早い話が大宝元年というても、西紀の記入でもなければ、何人も直ぐに何時頃の事か解るまい。況や欧米との交通の繁しい今日、国内限りの大正昭和等の年次と西暦とを不断に併用しなければならない煩しさは馬鹿馬鹿しき限りだ」

湛山は自民党総裁選挙で岸信介に勝って首相になったが、病気で二ヵ月ほどで退陣してしまった。いま、自民党に元号や靖国神社を廃止せよと主張する者はいない。

「馬鹿馬鹿しき限り」が普通になってしまった。

（二〇一九・三・八）

死者、堺屋太一に鞭打つ

大阪府知事の松井一郎と大阪市長の吉村洋文が共に辞職し、入れ替え出馬して選挙をやるという。

こんなおかしなことを松井と組んで最初にやったのは橋下徹だった。

その橋下が師と仰いだのが堺屋太一である。

それで橋下は堺屋の葬儀で泣きながら弔辞を読んだらしいが、私は堺屋をまったく評価しない。

だから、敢えて、ここで「死者に鞭打つ」一文を書いておきたい。

城山三郎と長谷川慶太郎は同じ一九二七（昭和二）年生まれだが、特に経済についての考え方はまったく違う。私は、城山――内橋克人――私の反バブル派の系譜だと自負している。

一方、長谷川の流れに属しているのが堺屋であり、竹中平蔵。だから、構図としては堺屋の論敵は内橋になり、長谷川は城山を批判して、竹中を私が追及することになる。

長谷川、堺屋、竹中を私はバブル派と名づけているが、彼らは会社の業績がよくなれば国民の生活はよくなると考え、株価を上げることに腐心する。

しかし、派遣がふえて、会社の業績はよくなっても国民の生活はよくなっていない。

すると、バブル派は目くらましのお祭りを企画する。

それが堺屋の演出した万博であり、あるいはオリンピックである。

堺屋が経済企画庁長官になってからだが、ＴＢＳの朝の番組で一緒になったことがあった。

通り一遍のあいさつで済まそうとしたら、「サタカさんが私について書かれたものはすべて読ませてもらっています」と言われた。

ウームである。

では、〝就任祝〟のように『週刊読書人』に書いた堺屋批判も読まれたのか。

編集部がつけた大見出しが、「凡庸な評論家」で、小見出しに「空想と言いわけに溢れた著作」とある。

それにつけても、堺屋も関わったらしい二千円札の発行には驚いた、よく恥ずかしくもなく、こんなことがやれると思った。あまりにも国民をバカにした「政策」ではないか。

大体、評判になった『油断！』（日本経済新聞出版）は「絶対にあり得ないとはいえない危険」を認識させるために書いた小説だというが、〝アブラ漬けの国家〟で石油の九九％を海外に依存し、その内の七割強を中東から輸入している現状を踏まえ、その中東に大戦争が起きて、ペルシャ湾からアラビア海に抜けるホルムズ海峡が二〇〇日近く封鎖されるという想定の下に始まる。

それに対して政府は、そうなればアブラ漬けの日本の農業は破壊し、流通機構などもストップして、三〇〇万人の生命と全国民財産の七割が失われるという予測を立てる。

それは「太平洋戦争の三年九ヵ月と同じ被害だ」が、「物価は六ヵ月間に八ないし一〇倍、失業者数は顕在者のみで、三二一〇万人。そして企業の七六％」が倒産状態になる、というのである。

これは数字を巧みに使った〝脅迫小説〟だが、「エネルギー革命」と称して、これほど日本を石油に依存させたのも堺屋たち官僚ではないのか。

いま、統計偽装が問題になっているが、堺屋の使った数字もそのまま信用していいかどうかわからない。

（二〇一九・三・一五）

井上ひさしと石原慎太郎

二〇一三年秋に出した『この人たちの日本国憲法――宮澤喜一から吉永小百合まで』（光文社）の改定新版を二〇一九年五月に角川新書で刊行することになって、澤地久枝と井上ひさしの二人を書き下ろした。それぞれ、三〇枚。

『この人たち』は宮澤、吉永の他に城山三郎、佐橋滋、後藤田正晴、野中広務、三國連太郎、美輪明宏、宮崎駿に中村哲である。

「平和のパスポート」である日本国憲法を変える必要はないという〝護憲派列伝〟だが、今度、書き加えた井上ひさしが、こう語っているのを読んで、改めて粛然とした。

「いまでは信じられないことですが、昭和二〇（一九四五）年の日本人男性の平均寿命は、たしか二三・九歳でした。戦地では兵士たちが戦って死ぬ（あとでわかったのですが、戦死者の三分の二が餓死でした）、内地では空襲で焼かれて死ぬ、病気になれば薬がないので助かる命が助からぬ、栄養不足の母親を持った幼児たちは栄養失調で死ぬ。そこで大勢が若死にしたのです。女性の平均寿命も三七・五歳だったはずです」

そうした犠牲を払って日本国憲法は生まれた。

「君たちは長く生きられまい」と悲しそうにしていた教師が、今度は一転して朗らかな口調で「これから先の生きていく目安が、すべてこの一〇〇と三つの条文に書いてあります」と言ったという。

しかし、井上より二歳上の石原慎太郎は改憲を主張する。そのズレについての井上の回顧談が示唆的である。

井上の『ベストセラーの戦後史』(文藝春秋)の第一巻に石原の『太陽の季節』が出てくる。一九五六年にバカ売れしたこの作品について、井上はこう書き出す。

当時、井上は大学に復学、生活費を稼ぐために浅草フランス座の文芸部で働いていた。フランス座と言えば聞こえはいいが、ストリップ劇場である。

その年の五月一七日、午前一一時前にフランス座に着くと、隣の浅草日活は『太陽の季節』の封切り初日で切符売場に長い列ができていた。珍しく女性客も多い。

劇場の前に巨大な障子が立てかけてあり、その横で呼び込みのおじいさんが塩辛声で原作の問題の場面を読み上げていた。例の、勃起した陰茎を障子に突き立てる箇所である。

そこへ、PTAのおじさんらしき一団がやって来て、メガホンで呼びかけた。

「お若いみなさん、不良映画をみるのはやめましょう」

しかし、井上が驚いたのは、『太陽の季節』の「反倫理性」ではなく、登場人物たちの「豊かで優雅な暮らしぶり」だった。彼らは一切アルバイトをしないどころか、カネの苦労をしている形跡がない。多少苦労するとしても、それは遊ぶカネにだった。そこに井上は仰天した。

井上と私には絞って言うと、山形、エスペラント、護憲派という共通点がある。山形出身でエスペラントに惹かれる護憲派だということである。

(二〇一九・三・二二)

「岡留安則を送る会」

二〇一九年三月三〇日、「岡留安則をにぎやかに送る会」が開かれた。

訴えられることを辞さない『噂の真相』の戦闘的精神の故に、名誉毀損の裁判も多く抱えたが、弁護士の弘中惇一郎、喜田村洋一、芳永克彦が彼を支え、「送る会」の呼びかけ人にも名をつらねた。現在、時の人の弘中が最後まで会場にいたのも印象的だった。

同誌連載陣の一人だった筒井康隆の献杯に始まり、株主でもあった小池真理子と〝被害者〟でもあった田原総一朗のスピーチがあり、「NEWS23」での筑紫哲也と岡留の対談の映像が流れた後で、私の締めのあいさつとなった。

呼びかけ人ではアラーキーこと荒木経惟が体調不良のため、田中康夫は手術とかで欠席したが、小沢遼子、香山リカ、そして中森明夫らが最後までいた。

私が締めることになったのは、呼びかけ人の中で私に「代表」という冠がついていたからである。『噂の真相』のスタッフからの依頼に私は「火元責任者みたいなものだろう」と思って引き受けた。

〝戦友〟の岡留の頼みは断らないことにしていたから、その延長のようなものだが、オウム真理教に破防法を適用するかどうかの審査の立会人になった時はかなり大変だった。夜中に、「お前はいつまで殺人集団の味方をするのか」という電話などが来たからである。

岡留はもっと厳しい状況にあると思って、私は耐えたが、彼の引き足の早さも瞠目すべきものだった。

政府の審議会の委員などをやっている吉永みち子が寝起きのままゴミ出しに現れた姿を写真に撮られ、

怒って、私に「岡留と勝負させろ」と言った。

それを岡留に伝えると、では一席もうけるという話になり、介添役の朴慶南と四人で食事をした。

それでも腹の虫がおさまらない吉永は、店を出た後で岡留に「帰りたいんなら帰っていいわよ」とぶつけた。多分、「いや、二次会を」と岡留が言うと思ってだった。

ところが岡留は「それじゃ」とすぐにタクシーをつかまえて帰ったのである。

残された吉永は朴と私に「ホントにもう」とフンガイしていた。しかし、「やられたな」という苦笑いを含んでの怒りだった。

そのとき私は「見事なまでの引き足の早さ。オレにはマネできない」と思ったのである。

そんなあいさつをしたが、当日、会場にはNHKも取材に来ていた。

コメントを求められて、決してオンエアはされないだろう話をしたが、私に枕詞のようにつけられる「辛口評論家」とか、「激辛評論家」はおかしい、と言った。評論は辛口や激辛が当たり前であり、甘口とか激甘は吐き気がするだけではないかということである。

参加者には岡留が保管していた『噂の真相』が一冊ずつ配られたが、翌日、田原から、「改めて読んでみたけど、ユーモアがあふれているね」という電話があった。

本当に濃い雑誌を濃い読者が支持していたということだろう。


（二〇一九・四・五）

安倍が葛西に忖度した三兆円

二〇一七年四月号で「JR東海『葛西敬之』の研究」という特集を組んだ『ZAITEN』の真鍋編集長と会った。私はいま同誌に「佐高信の新・毒言毒語」を連載している。

『ZAITEN』によれば、二年前の二月一〇日にホワイトハウスで行われた日米首脳会談のニュースを見て、「代表取締役名誉会長」だった葛西は、こうほくそ笑んだという。

「安倍さんは気難しいトランプを相手にうちの高速プロジェクトを売り込んでくれた」

しかし、これにとどまらない安倍と葛西の癒着を『日経ビジネス』の二〇一八年八月二〇日号が特集していることを真鍋に聞いた。題して「リニア新幹線　夢か悪夢か」。

『日経ビジネス』はかつて連載していたこともあるが、〝日本財界新聞〟と呼ばれる日経の系列なので読んではいない。ところが、気骨のある編集長だったのか、目に余る忖度だったのか、驚くようなことが書いてある。この場合の忖度は安倍が葛西にしているということである。

特集のリードを引くと、「時速五〇〇km、大阪まで一時間。夢の超特急リニアの工事が進んでいる、だが、談合問題や企業の撤退など、不穏なニュースが流れる。すべては闇の中で動き、首相の安倍から三兆円もの支援が流し込まれた。住民と自然をなぎ倒して進む、超巨大プロジェクトの真実。真夏の夜、見えるものは夢か、それとも悪夢か」

Ｐａｒｔ2が衝撃的で「第三の森加計問題」

森友学園や加計学園の比ではない三兆円の「お友だち融資」がなされるという。安倍は二〇一六年六月一日に「新たな低利貸付制度で、リニア計画を前倒しする」と発表した。それが無担保で三兆円を貸し、三〇年間も元本返済を猶予するものだった。しかも、超長期なのに金利は平均〇・八％という低金利である。

そもそもリニアは、葛西の部下の山田佳臣が社長時代に記者会見で思わず「絶対にペイしない」と漏らしたほど無謀な計画で、ドイツは撤退している。『日経ビジネス』は、葛西が安倍と一年に平均八回も会い、断トツの面会数だとも書いている。

その葛西に同誌はインタビューしているが、山田が「絶対にペイしない」と言ったことについて聞かれると、葛西はこう斬り捨てている。

「山田、そんなこと思ってないよ。あれは質問が悪くて。彼に聞いてごらん。絶対黒字だと思ってますから」

まさに傍若無人。

『日経ビジネス』は「ＪＲ東海は政治家や官僚を使った戦術を巧みに使い続ける。その背景には、二八年間にわたって代表権を持ち続けた葛西の『大きすぎる存在』がある」と指摘している。

それにしても、この特集が契機となって葛西と安倍の横暴がクローズアップされたという話を聞かない。

私も寡聞にして知らなかったが、大変な問題ではないか。

（二〇一九・四・一二）

高浜虚子の戦争責任

日本人を蝕んでいるのは中途半端という病気であると喝破したのは、一九四五年八月一五日に朝日新聞をやめたむのたけじだった。

むのは東京外語大の学生時代、スペイン人の教師から、むのが何ということもなく使った「半信半疑」という言葉を咎められる。

「半疑」というのは、つまり、信じていないということだと指摘されたのである。

私も先日、『俳句界』の四月号に載ったマブソン青眼との対談で、似たような体験をした。

マブソンは高校時代に日本に留学したフランス生まれの俳人である。その後帰国してパリ大学に入り、小林一茶についての修士論文を書く。長野オリンピックのための翻訳と通訳の仕事で再来日した彼は、その一茶論が金子兜太に認められ、親交を結んで、「俳句弾圧不忘の碑」の建立などに力を尽くす。

渡辺白泉に「戦争が廊下の奥に立っていた」という句がある。

それを踏まえて、マブソンはこう語る。

「フランスの場合、軍国主義・戦争に反対して逮捕された人たちは、戦後、顕彰されている。石碑を建てたり、学校の名前になっているくらいです。五〇フラン札は、サン＝テグジュペリというレジスタンス詩人でした。例えば、渡辺白泉の顔を千円札の顔にすれば、どれだけ国際的に日本が評価されるか」

しかし、白泉がそうなることはこの国では絶対にない。第一、渋沢栄一は知っている人が少なからずいるだろうが、白泉の名をどれだけの人が知っているか。

それよりも私がハッと思わされたのは、マブソンが高浜虚子の戦争責任に言及したことだった。虚子がボスのホトトギスは、その派にあらずんば俳人にあらずというほど隆盛である。その虚子の責任を私も問題にしてこなかった。しかし、虚子は戦時中に日本俳句作家協会の会長である。そして、一九三六年にドイツに行って「春風やナチスの旗もやはらかに」というナチスを讃えるような句をつくっているし、一九四〇年一二月二一日付の『東京日日新聞』には、「立派な国民精神を俳句によって作り上げるという目標の下に、大同団結する」と書いている。

また、真珠湾攻撃の直後には「戦ひに勝ちていよいよ冬日和」という句を残した。

その他にも、「勝鬨はリオ群島に谺して」「美しき御国の空に敵寄せじ」「日の本の武士われや時宗忌」等の、いわゆる聖戦俳句を発表した。

歌人の斎藤茂吉の戦争責任は同郷の作家で俳句もつくる藤沢周平が追及したことがあるが、虚子のそれはまったく触れられずに来たのではないか。

マブソンは、虚子が能動的にファシズム国家に賛成していたことを認めるところからしか、新しい現代の俳句は始まらない、と言っている。それをホトトギスは自らの手で始めなければならないだろう。

もちろん、これは俳句だけ、虚子だけの話ではない。

（二〇一九・四・二六）

渋沢栄一と修養団

城山三郎の本名は杉浦英一である。

室内装飾業を営む城山の父親が渋沢栄一を尊敬していて、長男の名前をエイイチとしたのだが、同じ字ではオソレ多いということで英一にしたらしい。

そんなこともあってか、のちに城山は渋沢についての伝説小説『雄気堂々』（新潮社）を書いた。

渋沢の名前は私の中では修養団に結びつく。

私が批判してやまない「みそぎ研修」をやる修養団である。修養団の創立者、蓮沼門三は、二七歳の時に王子の飛鳥山にあった渋沢邸を訪ねた。一九〇九年の春だった。

しかし、紹介状なしでは取り次げないと執事に追い返される。何度尋ねても同じなので、蓮沼は一世一代の長い手紙を書いた。何とそれは一〇メートル余りにも及び、切手代は普通の三倍かかったという。

それに対して、渋沢から「君の熱誠には感じ入った」と直筆の手紙が届き、会えることになった。

七〇歳の渋沢を前に蓮沼は「教育の良否は、直ちに国運の隆盛に関係があります。それは教員の人材の如何に起因します」と訴え、知識偏重を排して、道徳的品性の陶冶の急務なることを説いた。

頷きながら聞いていた渋沢は、こう答える。

「君の熱情ある話によって、修養団の趣旨がよくわかった。自分は実業家であるが、論語と算盤と二つを平行させてやるのではなくては、本当の国家の隆盛も、社会の平安も望めない。道徳と経済とは、車の両輪のようなもので、この二つが並行してゆくのでなければ、真の発展は図れないと信じている、そこで、君たちの主義が、愛と汗であるというお話だが、愛は道徳、汗は経済ということになる。自分も平素からそのことを急務の問題と思っていたので、君たちの出現はまことに心強い。自分もできるだけ骨を折ってお授けしよう。しかし、何分突然のことで、まだ十分のみ込めない点もあるから、これからは、ちょいちょい遊びに来て、話を聞かせてほしい。君たちの運動には賛成である」

渋沢のところへは、各方面のいろいろな人たちが援助を求めて出入りする。

それに対して渋沢は、「三年ぐらいでは、まだまだだめで、五年も続ければ、まあまあというところ。一〇年以上やっているものなら、まず信用できるので、世話してあげる」と言っていたという。

みそぎ研修をやらせる修養団の講師は「こざかしい理屈を捨て、バカになって物事に挑むきっかけをつかませるのだ」と言っていたが、バカをつくったから、多くの日本の会社で盲目的服従を生み、現在の衰退につながったのではないか。日立や東芝など修養団に熱心な会社ほどおかしくなっている。

私の友人が「福澤諭吉から渋沢へ紙幣の顔が変わるのは、民主主義（福澤）から資本主義への転換だ」と言っていた。

うがった見方かもしれないが、ある真実を衝いている。

（二〇一九・五・三）

孤独が何で珍しい

先日の新聞に五木寛之の『続・孤独のすすめ』が載っていて、苦々しい思いを嚙み殺した。下重暁子の『極上の孤独』などもベストセラーになっているらしい。五木の『続』には下重との対談が収録されているという。五木の本の惹句には「なぜ、人びとはこれほどまでに孤独に怯えるのでしょう」とあり、今こそ「孤独」に豊かさと愉しみを見つめ直すときだと喧伝している。

五木も下重も結局、自分はひとりで生きてきたよ、と言いたいのか。そんなに強い自分だよと主張したいのか、と私は皮肉を投げつけたくなる。これらの「孤独」論は容易に「自己責任論」と結びつくだろう。話にならない安倍政権に対抗するために、さまざまな違いを越えて結び合う運動をつくろうとしている者にとって、五木や下重の主張は邪魔にしかならない。いや、邪魔どころか、有害である。

彼らの孤独尊重論は、しかし、次の高村光太郎の詩で一発で吹き飛ばされるだろう。光太郎は「孤独が何で珍しい」と題してこう叫んだ。

孤独の痛さに堪え切った人間同志の
黙ってさし出す丈夫な手と手のつながりだ
孤独の鉄しきに堪えきれない泣虫同志の
がやがや集まる烏合の勢に縁はない
孤独が何で珍しい

寂しい信頼に千里をつなぐ人間ものの
見通しのきいた眼と眼の力
そこから来るのが尽きない何かの熱風だ

五木や下重の孤独論には「社会」が決定的に欠けている。社会から離れて勝手に「ひとり遊び」をしていればいいのだ。「連帯を求めて孤立を恐れず」という言葉が学生運動の中でクローズアップされたことがあった。しかし私は「孤立は恐れないが連帯を求める」と主張した。いわゆる連帯とか運動はわずらわしい。何度も何度も放り出したくなる。それでも何とかしようと思うのは、権力に追いつめられる弱者を見殺しにできないからであり、安倍や麻生に勝手なことをさせてたまるか、と思うからである。

通信傍受法という名の盗聴法に反対する運動の時だったか、旧友の菅直人が民主党代表として集会に来た。民主党内には、そうした運動を共産党といっしょにやることに反発している者が多くいる中で、菅は私の呼びかけに応えて参加してくれたのである。

当時、共産党のトップは志位和夫だっただろうか。社民党の土井たか子も来て三党首そろいぶみになる。

しかし、来るなり菅は私に、三人並んで写真を撮られると困るから何とかしてくれ、と言った。

それで私はその他のトップを含めて席順をアイウエオ順にして並べかえた。とっさの判断だったが、「孤独」を愉しむ者たちは、それらを要らぬ苦労と言うのだろうか。

私は五木や下重、そしてその読者に、せいぜいコドクに生きていろ、と罵声を浴びせたい。


（二〇一九・五・一〇）

久野収と『噂の真相』

友人の石川好からの電話で、五木寛之が『中央公論』の二〇一九年六月号にわが師の久野収のことを書いていることを知った。「一期一会の人びと」という連載の最終回である。

「この文章を書くにあたって、私は佐高信さん編集の『久野収セレクション』（岩波現代文庫）をあらためて読み返した」と始まる。久野と私の「師弟の絆」にも触れて恐縮するような文章である。

「お喋りな思想家」と題されているそれを読んで、久野が『噂の真相』を愛読し、「岡留君はよくやっているよ」と繰り返し言っていたのを思い出した。

ジャーナリズムはスキャンダリズムを含むのである。そのことを忘れたキレイゴトのメディアがあまりにも多い。頼まれもしないのにビジョンなどを掲げて、本来のジャーナリズムを忘れている。

『噂の真相』クレーム対応の舞台裏」と副題のついた岡留の『編集長を出せ！』（ソフトバンク新書）に「次期総理の呼び声が高い安倍晋三との裁判で見えたもの」という一節がある。

『噂の真相』は二〇〇三年二月号で「対北朝鮮強硬路線で『次期首相』を狙う安倍晋三の危険なルーツと背後関係」という特集記事を掲載した。

安倍の地元の下関にある事務所などを韓国系パチンコ業者から借りている疑惑や、父親の代から続くこの業者との関係が、対北朝鮮強硬姿勢にも影響しているのではないかというもので、安倍のタカ派のルーツを探っている。これに対して安倍に近いとされるマスコミ関係者から、「安倍が訴えると言っている」とか、「安倍と会わせる」とか、「もし事前にゲラを見せてくれたら訴えないように自分がどうにかする」

などの申し出が相次いだという。

そして、安倍側との何回かの内容証明のやりとりを経て、「便宜供与」という疑惑本筋とは関係のない部分しか名誉毀損として訴えてこなかったので、休刊一ヵ月前ということもあり、和解した。賠償金はなしである。

その過程で岡留は「安倍には穴が多すぎる」と思った。

耐震偽装問題のヒューザーやライブドアで「安晋会」の名前が出た時の対応ぶりにも脇の甘さが感じられたという。

「官房長官になってからも、疑惑の四点セットは言うに及ばず、対中対韓、北朝鮮外交問題、靖国参拝、女性天皇などの発言にはまったくキレがない。甘いマスクとソフトな口調だけで、海千山千の永田町を切り盛りしていける能力があるとは思えない。人気だけで総理の座を獲得したとしても、短命に終わるというのが筆者の見解である」

と岡留は二〇〇六年の時点で書いている。

残念ながら、その予測ははずれたが、雑誌はやはりゲリラであり、本隊のマスメディアがスキャンダル暴きに徹しなければ安倍は倒れない。

岡留は「マスコミ工作とマスコミへのドーカツだけは巧妙」と安倍について指摘しているが、〝正規軍〟はドーカツに屈しているということだろう。

(二〇一九・五・一七)

丸山穂高を生んだ松下政経塾

維新の丸山穂高の「領土は戦争で取り戻すしかないのでは」という発言が問題となっている。論外だと思うが、自民党と公明党は丸山の除名決議に賛成しない。特に自民党には丸山的思考の持ち主が多数いるからだろう。

戦争中に斎藤隆夫は「粛軍」と言うか「反軍演説」をして除名された。現在は当時よりもっとひどくて、「戦争肯定」放言をした丸山が除名されない。

もちろん、議員が簡単に除名されるべきではないが、そもそも、女性蔑視発言もした丸山は議員の資格がない。どうして、こんな人間が選ばれてしまったのか。

私は丸山が松下政経塾を出ていることに注目した。東大を出て経産省に入り、その後、松下政経塾ならぬ松下未熟塾に入っている。

先輩に自民党の高市早苗がいるが、高市もまた、自分が生まれる前の日本の責任などと言われても関知しない、などと勝手なことをほざいた。

戦争責任などということを露ほども考えない高市や丸山の思想ならぬ皮相は、自分たちはエリートという錯覚を抱かせる松下政経塾と関わりがあるのではないか。

松下幸之助も大日本帝国の侵略の責任などということは考えもしない人だった。同塾の卒業生は政治家になることが目的で政党はその手段というところがある。つまり理念や思想とは無縁なのである。

松下政経塾の卒業ではないが似たタイプの小池百合子の秘書をしていたのが卒業生の中田宏である。変遷の末、今度は自民党から出るらしい。細川護煕の日本新党の立ち上げを手伝った中田は一九九三年に衆議院議員となり、三期続けて当選した後、横浜市長に転じた。

出井康博著『松下政経塾とは何か』（新潮新書）によれば、中田には「触れられたくない過去」がある。中田の前の市長、高秀秀信との関係というか経緯である。

高秀の選挙スタッフだった中田を高秀はかわいがり、家に招いて、ごちそうしたりもした。それで、娘と中田は仲よくなった。中田が衆院選に出るときは事務所も探し、支援者も紹介したという。

ところが中田は、高秀が再選を目指した選挙で、突然、相手候補を応援する。しかし、高秀が勝利すると、中田は高秀のところに来て、涙を流して謝罪した。人のいい高秀は、それで中田をゆるしてしまう。

そんな経緯があった後に、中田は次の市長選で高秀の対抗馬として立つのである。

「天下りの元役人対しがらみのない若者」という図式でマスコミを味方につけ、テレビカメラを引き連れた中田が「果たし状」を持って高秀陣営を訪れるという演出までした。結果は中田の勝利である。

最後の市長選から五ヵ月、高秀は急逝する。

「松下幸之助が政経塾をつくったのは、ああいう人物を生み出すためだったのか」

失意の中で高秀はこう言ったというが、中田だけでなく、丸山穂高を生み出した責任も幸之助は問われなければならない。

（二〇一九・六・七）

「三つしか」から「三つも」へ

二〇一九年六月八日、滋賀県の近江八幡市へ行った。

「市民と野党の共闘で参議院選挙に勝利し安倍政治を終わらせる滋賀県民集会」で「安倍暴走政権と闘う」という話をするためである。

野党統一候補に決まった嘉田由紀子も来ている。滋賀県知事だった嘉田は、一時、希望の党に揺らぎ、野党の結束に水を差す動きをしたことがあって、少なからず、しこりが残っているという。

それを払拭する話をと言われたので、最初に福島みずほと亀井静香の印象的なスレチガイを紹介した。

あるとき、福島が亀井に、

「亀井さんと私は、死刑廃止など共通する点は三つしかない」

と言ったら、亀井は、

「三つもあれば、いいじゃないか」

と即座に返したというのである。

革新の側はどうしても違いにこだわる。しかし、保守の側はそれよりも重なる点を強調する傾向がある。利権を生む権力への執着の差だろうか。

かつて、舛添要一が都知事選に立った時、自民党は直前に舛添を除名したのに、都知事候補として舛添を推した。その節操のなさに唖然としたことがあるが、ある意味で、革新もそれを見習うべきなのだろう。

いま私は「べき」を使ってしまった。しかし、評判になった拙稿に「『べき』はやめよう」がある。

二〇一八年の一〇月一〇日付『社会新報』に寄せたものだった。嘉田に関わるので集会で紹介した。

何々すべきとか、何々しなければならないが次々と出てくる文章に接すると、私は読むことを放棄し、「これでは勝てない」と、ため息をつく。

もっと具体的に呼びかければ状況は違ってくるのである。

二〇〇六年夏の滋賀県知事選挙で嘉田が当選した時、彼女は次のように問いかけた。

「モロコとコイ、フナとアユ、そしてビワマスがいなくなった」

すると、選挙カーを見つけたおじいちゃんが遠くから懸命に走って来て、「あんたが政見放送で言ってた、いなくなったものの中にシジミも入れてくれ。シジミもとれへんのや」と訴えた。

また、ある所ではおばあちゃんがちぎれるように手を振り、「いままでいつもじいちゃんに言われて自民党に入れてたけど、今度はあんたに入れる」と言った。

この時、相手の現職は自民党だけでなく、当時の民主党と公明党、そして連合の推薦を受けていた。嘉田を支持したのは社民党だけ。

「軍艦と手こぎ舟」の闘いとヤユされたが、嘉田は「軍艦は石油がないと動けないけれど、手こぎ舟は一人一人の力で動かせます」と主張した。

そして、奇跡的な勝利をおさめたのである。


（二〇一九・六・一四）

卑屈の裏返しの尊大

「誤解を与える」という言い方がどうにも我慢できない。

大体、「一〇〇年安心」と豪語していた年金だけでは暮らしていけないという金融庁の報告書は誤解のしようがないだろう。

自分たちに都合よく受け取ってくれれば「正解」で、そうでなければ「誤解」だから、担当大臣としてそれを受け取らないという麻生太郎には開いた口がふさがらない。皮肉を言えば、安倍晋三が「云々」を「でんでん」と読み、麻生が「頻繁」を「はんざつ」と読んだ事実も「誤解」だというのか。

誤解を与えないようにていねいに説明するというなら、まだわかる。しかし、上から目線の誤解云々という言い方には腹が立ってならない。

麻生ならぬ阿呆の尊大の裏には卑屈が隠されている。

小泉純一郎が首相だった時、平沼赳夫らと共に麻生が小泉を招いた。小宴が終わって、小泉が席を立つと、麻生は素早く衣紋掛けから小泉の背広を取り、後ろにまわって着せかけたという。

小泉が引き上げた後に、平沼が

「おまえ、よくやるなあ」

と冷やかすと、麻生は、

「総理だから当然だ」

と答えたとか。

その甲斐あってか、小泉は麻生を総務大臣や外務大臣に起用している。

麻生が総理大臣になってから、平沼は『諸君』の二〇〇九年一月号に「わが友、麻生総理よ、漫画はもうやめておけ」と書いた。

漫画を読むことは否定しないが、漫画だけではいけない、哲学書や歴史書も読むべきだというのである。

私は逆に、わが友、早野透から「漫画も読め」と忠告されたが、東大法学部の丸山真男ゼミで学んだ早野は、哲学書や歴史書と共に漫画を読んだ。

しかし、麻生の場合は漫画だけなのである。だから、抽象的思考に堪えられず、自分と違う意見には「誤解だ」と決めつけることになる。

麻生はお菓子だけを食べて育ったコドモのようなものなのである。

誤解について、「誤解する権利」を主張したのはユニークな哲学者の鶴見俊輔だった。大体、人間の理解に於て、一〇〇%の正解というのはあるのだろうか。そうした視点も含んで鶴見は「誤解する権利」と言ったのだ。

そんな高尚な議論の理解を安倍や麻生に求めようとは思わない。

しかし、彼らは多数に寄りかかって、違う受けとめ方を「誤解」と言う。挙句の果ては「あんな人たちに負けるわけにはいかないんです」という安倍のヒステリックな主張になる。

安倍や麻生は「誤解」されるから、あわてているのではない。

疑いようもなく「一〇〇年安心」はウソだと、みんなが「正解」したから、うろたえているのである。

彼らが誤解というコトバを使う時、それは正解だと私は思っている。


（二〇一九・六・二一）

最後の黒幕のバクロ話

〝最後のフィクサー〟朝堂院大覚と私の対話『日本を売る本当に悪いやつら』（講談社＋α新書）が出た。オビに「この国を腐らす権力者たちの正体を暴く！」とあるが、朝堂院という人も決して〝いい人〟ではない。いわば「毒を以って毒を制す」で、私はこの内幕暴露を世に問うた。

ナミレイのモーレツ経営者、松浦良右として知っていた朝堂院に最初に会ったのは『週刊金曜日』の対談だった。当時の編集長、平井康嗣の企画である。

護憲派の後藤田正晴のスポンサーだった朝堂院は、いま、反安倍晋三の急先鋒である。

スパイ防止法の制定を推進したり、維新の橋下徹を支持する点では私と立場を異にするが、『日本を売る本当に悪いやつら』の筆頭に安倍を挙げるので共闘できる。

裏の世界にも通じた朝堂院の話は極めて興味深いものだったが、講談社も訴えられて反論できなくては困ると思ったのだろう、いくつかゲラの段階ではあったものを削ってきた。

たとえば、自民党幹事長の二階俊博の女性スキャンダルである。

「二階は交通旅行社の団体のボスだから」

という朝堂院は、

「交通公社の方から、和歌山県新宮出身の東という三〇歳くらいの女性を秘書に送ってきたんだけど、それとできちゃったわけだよ。二階が手を付けた。その一方で古株の女ともできていたわけだ」

と語る。それで私が、

「週刊誌のネタにならなかったんですか」

と尋ねると、朝堂院は、

「週刊誌はみんな二階を怖がっているね」

と答え、内部からのネタだと明かした。

これは『ZAITEN』二〇一九年五月号の二階批判で書いたのだが、二階は何もいってこなかった。朝堂院の証言では、ヤブヘビになると思ったのかもしれない。

もっと徹底的に暴露されているのは石原慎太郎（朝堂院は金太郎と呼ぶ）で、石原は朝堂院に面倒を見られていたから、訴えることはできないと講談社も踏んだのか、そのまま活字になっている。その一部を引く。

「石原のいわゆる隠し子がバレたんですよ。一五年間隠していたのが、突如、慎太郎がアパートの家賃を払わんというので、子どもを産ませた女が怒ったわけだ。五万円のアパートに住まわしていたのを女が怒って、週刊誌にバレたんだ。それが表に出た途端に、女房の典子が暴れた」

典子は知らなかったらしい。

朝堂院に言わせると、「典子はむちゃくちゃ焼きもちやきだから」大変なことになった。

朝堂院はPLO議長のアラファトとも親交があった。とにかく、左右を問わず「闘う男」が好きなのである。

「オウム真理教と創価学会」の章では、新興宗教の暗部を底深く語っている。


（二〇一九・六・二八）

「思想の商品化」と「理性の手段化」

『週刊文春』二〇一九年六月二七日号の「新・家の履歴書」で、わが師の久野収について語ったせいか、久野没後二〇年の一文をという依頼が『西日本新聞』から舞い込んだ。

新聞だから、それほど難しいことは書けない。改めて幾つかを読み返して、特に「思想の商品化」と「理性の手段化」について久野が指摘していることを紹介してみたい。

大宅壮一が「無思想人宣言」を発表し、イデオロギー終焉の時代を予見したことに触れて、それは論壇の古い権威や心情を「商品化」という形で掃除したが、同時にそれは、日本の評論のよき伝統であった批判的精神、異議申し立ての態度、そして抗議の意思を後退させたのではないか、と久野は批判した。

そして大宅の「方向感覚のするどさは、現状の変革を志向しない方向感覚のするどさに終わったのではなかろうか」と続ける。

一九九一年一一月九日付『朝日新聞』の「私と先生」で私は久野をこう語った。

「久野先生に教わったのは、批判的精神のありよう、ひとり立つことの大事さ、先生は何かによりかかってものを言う人じゃなかった。教え子でも、在野や浪人を舌なめずりするようにかわいがった。草の根民主主義を常に考え実践し、八〇代の今なおエネルギーが枯れない。今、企業批判をして圧力を受けても、ずっと若いオレがこんなことで萎えていられるか、と先生が支え。久野先生は、今も一番こわい。連絡しなければならない時は一週間前から動揺して、いよいよ受話器をとると、直立不動。生き方に畏怖の念を持てる先生に恥ずかしくない仕事をしていきたい」

私が大学四年の時、〝盗聴〟に行っていた学習院大学で久野が展開していたのが「歴史的理性批判」だった。のちに岩波書店から『歴史的理性批判序説』としてまとめられる。

理性が手段化し、目的そのものを理性的に問うことはしなくなったことを追求したものである。「ヨーロッパの近代史全体をつらぬくギリシャ的理性の機能化、手段化、形式化の過程」を分析したのだ。「啓蒙的理性の歴史は、古典ギリシャの場合も一八世紀の場合も、理性による呪術、迷信、神話への批判が、やがて理性概念それ自身にむけられ、思考による全体的洞察の機関としての理念が、確実に自分を清算していく結果をもたらしている」

久野はこう憂いていたが、コンピュータなどの普及は理性の手段化や腐蝕化を深めていく結果をもたらした。

たとえば、「人はなぜ戦争をしてはいけないか」という命題を立てて、それを理性的に深めていくのではなく、理性の手段化は「どうしたら早く戦争を終わらせられるか」、さらには「どうしたら早く人間を殺せるか」に理性を使うという方向にズレていく。

つまりは理性の手段化であり、機能化である。そこでは目的を問うことは置き去りにされる。

（二〇一九・七・五）

「れいわ新選組」への疑問

二〇一八年の一二月八日、外国人労働者の受け入れをふやすための出入国管理法改正案が参議院本会議で可決された時、反対票を投じた山本太郎の叫びはすさまじかった。

「賛成する者は二度と保守と名乗るな！　官邸の下請け！　経団連の下請け！　竹中平蔵の下請け！　この国に生きる人々を低賃金競争に巻き込むのか？　世界中の低賃金競争に。恥を知れ！　二度と保守と名乗るな！　保身と名乗れ！　保身だ！」

当時、山本は自由党共同代表だった。

「経団連の下請け！　竹中平蔵の下請け！」はその通りで、よくぞ言ったりだが、今度の「れいわ新選組」は感心しない。

まず、なぜ、元号を冠したのか？

「二度と保守と名乗るな！」と叫んだということは、自分こそが保守だということなのか？　スタイルは新しいけれども、着ているものは古臭いという感じが私はしてならない。

「令和」に雨カンムリをつけると、「零和」になる。ゼロはいくら足してもゼロであり、何を掛けてもゼロである。

皮肉って「零和」とつけるなら、まだ、わからないでもないが、「新選組」と来ては、どうにもならない。名は体を表すのである。何をめざしているのかがはっきりしないが、多分、山本自身にもわかっていないのだろう。

れいわが東京選挙区で立てたのが創価学会沖縄壮年部の野原善正。

私は公明党すなわち創価学会が自民党と組んで日本の政治を悪化させている元凶だと思っているが、創価学会の多分、反安保法制派なのだろう。

しかし、結局、彼らは反対することで、創価学会および公明党に、こういう人たちもいるんですよというアリバイを提供している。沖縄はそういう人たちが多かったから除名できないが、東京などでは造反した学会員たちはほとんど除名されている。

そんな中途半端な存在でなく、いっそ、学会を脱けたか、除名された人間を立候補させるなら、まだしもスッキリしていた。

かつての川田龍平のように、組織に頼らず個人で闘う人に人気が集まる傾向があるが、そうした人間が何人か登場しても、安倍政権をひっくり返せないのではないか。個人から出発して、やはり組織というか、集団を求めなければ、数で押し切ってくる自民党と公明党の連合軍に勝てないだろう。

いま、下重暁子に始まって、岸恵子や五木寛之などの「孤独」本が大流行である。しかし、私はそれらに「孤独」ならぬ「孤高」の臭いを嗅ぐ。

かつて、「連帯を求めて孤立を恐れず」という言葉がもてはやされた。たしか、亡くなった橋本治のコトバだった。それに同調したい気持ちはあるが、しかし、やはり、「孤立は恐れないが連帯を求める」のでなければ政治は変えられないのではないか。

組織のしがらみから逃げては、個人の自己満足しか残らないと私は思う。

（二〇一九・七・一二）

世襲は民主主義を窒息させる

青木雨彦というコラムニストがいた。

三島由紀夫が自決した時、「あれは諫死ではなくて情死だ」と書き、右翼から、「貴様はそれでも日本人か！」と言われた。そのとき、「じつは日本人じゃない」と答えたら、彼らはそれで満足するのか、とギラっとした骨っぽさを見せた。

青木は金物店に生まれたが、長兄が、「オレがなめてきた苦労を、あいつに味わわせるのは忍びない」と、長男に家業を継がせるのをあきらめたという。

青木はそれにホロリとしながら、しかし、世の中には子どもに継がせることに熱心な稼業もある、と続ける。

「その職業は―政治家と医師と芸能人、はっきり僻んで申し上げるが、これらの稼業には、よっぽどイイことがあるにちがいない。わたしが二世の政治家や医師や芸能人とその親たちが好きになれない所以である」

青木の挙げている〝家業〟に経営者をつけくわえてもいいが、「二世時代」はさらに深化した。

現首相の安倍晋三は岸信介の、副首相の麻生太郎は吉田茂の孫であり、特に自民党は三世、さらには四世時代となっている。

安倍の対抗馬の石破茂や岸田文雄、そして小泉進次郎も、それぞれの〝家紋〟つき。自民党はつまり世襲自民党、もしくは世襲党なのだ。

この党にも石橋湛山や松村謙三など、まともな政治家は少しはいたが、彼らは息子に後を継がせなかった。

世襲はお家大事の封建主義であり、だから夫婦別姓などに反対する。

先日の党首討論会で、夫婦別姓や同性婚を法的に認めることに安倍は賛成しなかったが、連立を組む公明党の山口那津男も賛成の手を挙げなかった。

公明党でおかしいのは、麻生の問責決議案に反対したことである。

安倍内閣の不信任案に反対するのは、大臣を出しているのだから、百歩譲って致し方ないことにしても、不都合な報告書を受け取らないことにした麻生の問責に賛成しないのは、筋が通らない。

結局、ブレーキなどにはなっていないのだ。

また、それを問題にしたメディアがなかったことにも呆れた。

あくまでも、具体的にひとつひとつ指摘していくのがメディアの役割だろう。

政治家の世襲を批判すると、職業選択の自由を奪うのかといった見当違いの声が返ってくることがある。そんなになりたいのなら、では、別の選挙区から立ったらどうか。

イギリスの名宰相グラッドストーンは、特定の地域エゴの代弁者に堕することを恐れて、何回となく選挙区を替えて立候補した。

安倍や麻生にそんな勇気はあるまい。爺いやオヤジの威光(という名の利権)の通じない選挙区で立ったら、おそらく落選してしまうだろうからである。

言うまでもなく、世襲の横行は民主主義を窒息させる。


(二〇一九・七・一九)

自民党を応援しなかった横浜のドン

横浜のドンといわれる「横浜ハーバーリゾート協会」会長の藤木幸夫に会うに際して、私は名刺がわりに拙著『湛山除名』（岩波現代文庫）を持参した。

早稲田卒の藤木は石橋湛山に親近感を抱いているに違いないと思ったからである。

ピタリだった。

藤木も驚き、後日、若き日に藤木が湛山を横浜の三渓園に案内した時の写真を複製して送ってくれた。

七月一一日に会ってまもなくである。

この湛山の評伝については、城山三郎から言われた言葉が忘れられない。

自民党総裁選挙で湛山は石井光次郎と二位三位連合を組み、岸信介に勝って首相となったが、病気になって二ヵ月足らずで辞めてしまった。その潔さを城山はおかしいと批判したのである。

政治家や経営者の引き際の悪さを糾弾することの多かった城山だけに、その批判に私はエッと思った。

「天下国家のことを考えれば、自分の悪評を覚悟して残るべきだった」

この時、野党の日本社会党委員長は浅沼稲次郎だったが、早く静養してもどってきてほしいと言っていたし、再起不能の大病でもなかった。それに湛山が辞めれば岸に行くことはわかっている。

私との対談で城山は「汚名を被ってもいいから、危険な内閣をつくらせない」ことを優先すべきだったと言った。

確かに城山の言うように「石橋がある程度粘って、石井にバトンタッチして、そして池田（勇人）に行けば、日本にとってハッピーだった」ろう。安倍晋三の線はそこで消えていたはずである。

藤木は現官房長官の菅義偉の有力な後援者として知られる。しかし、現在は菅を見限っている。

二〇一九年六月一四日付の『日刊ゲンダイ』に藤木への直撃インタビューが載っている。インタビュアーは平井康嗣。

かつてはカジノをやると言っていた藤木はギャンブル依存症にあまりに無知だったと反省し、現在はカジノ反対の急先鋒。

「世界の三大カジノ業者にラスベガス・サンズ、MGM、シーザーズがあります。サンズのアデルソン社長やトランプ大統領に安倍首相が頼まれたんでしょう」

そう語る藤木は、今度の参議院議員選挙では自民党を応援しなかった。

「カジノは最後は住民投票で決めるのが筋です。それで反対となったら菅さんも安倍さんもカジノをやるとは言えないでしょう。主権は国民にあるって日本の憲法にも書いてあるんだから、平ったい話ですよ」

まもなく九〇歳を迎えるとはとても思えないほど元気な藤木は「育ち盛りの一三歳から一五歳の間が戦争中で食べていない」し、「爆弾が落ちてくる日本を知っているから、戦争は絶対反対」と主張する。

この藤木とは、また、対話する予定である。


(二〇一九・七・二六)

反社会的勢力とは？

「反社会的勢力」というコトバに、どうしてもなじめない。

「反」を取れば「社会的勢力」だが、ためらうことなく反社会的勢力をどうしようもなく悪い奴らと決めつける人は「反」にアレルギーを持つ人も多いだろう。

先日、民間放送連盟ラジオ部門の東北・北海道地方の審査をしたが、廃止になるローカル線を追った北海道放送の番組で、国鉄の分割・民営化発足前の一九八六年に自民党が出した意見広告が紹介されていた。

そこには「ご安心ください。運賃も高くなりません。ローカル線もなくなりません」などと書かれているという。

そのころ私は民営化ならぬ会社化に反対し、北海道のある町の町長の「国鉄は赤字だ赤字だというけれども、警察や消防を赤字だと言うか」という叫びを取り上げた。

あれから、わずか三〇年余。次々とローカル線が廃止されているのを見れば、自民党の意見広告は真っ赤なウソだったことがわかるだろう。

つまりは、自民党こそが反社会的勢力なのだ。

オウム真理教に破壊活動防止法を適用するのに反対した時、私は夜中の電話で「お前は反社会的殺人集団の味方をするのか」と怒鳴られた。

しかし、仮にオウムを反社会的集団だとしても、それはこの社会から生まれているのである。別の宇宙、別の星で生まれたわけではない。

なぜ、それは生まれたのかを考えなければ、それをなくせるわけがないのである。

「反」には、自分に無縁のものとして、それを遠ざける響きがある。せめて、「反」を「半」にしたらどうか。

作家の深田祐介と対談した時、

「日本人はひたすら反省しつつ経済的には繁栄している」

と皮肉った呉善花の主張を深田が取り上げたので、私は、

「しかし深田さん、その反省の『反』は半分の『半』なんでしょうね」

と返した。すると深田が、

「なるほど、こういう当意即妙の答えが返ってくるから、あなたはテレビに通用するんだろうな」

と言って「爆笑」になったが、この対談から二七年経って、わたしはいまや、「反社会的勢力」にくくられているので、登場の機会がない。

私の返した「半省」を深田はそこで次のように解説した。

「要するにただ『頭を低くして当面の雨風をやり過ごす』という意味になりますかね。『しばらくおとなしくしていようや』というやつとそう変わらない。ちゃんと物事を整理して謝るべきは謝る。謝るべきではないところでは黙っている。そういった、きちんとした対応がない」

「反社会的勢力」を「半社会的勢力」と言い換えたら、もう少し違う風景が見えてくるのではないか。

（二〇一九・八・二）

世襲のバカボンは度し難し

「暴君治下の臣民は暴君よりもさらに暴である」と魯迅は喝破した。

無茶で乱暴な殿様の下では家来はもっとメチャクチャだということである。安倍（晋三）内閣の外相、河野太郎が駐日韓国大使に対して放った「極めて無礼だ」という発言など、その最たるものだろう。つけるクスリはないという感じである。

韓国に対しては「上から目線」で、アメリカに対しては「ペコペコ路線」。

五年前の集団的自衛権問題で、安倍は「日本人を乗せたアメリカの軍艦が戻って来て、日本の軍艦はそれも助けられないのか」とパネルを使って訴えたが、『朝日新聞』の記者だった田岡俊次は、あれは安倍のねつ造だと指摘した。

紛争地があって、そこから引き上げて来なければならない時には、それぞれの国で引き上げてもらうとアメリカは決めている。アメリカの軍艦を使うのは、当然のことながら、アメリカの国籍（パスポート）を持っている人が最優先で、次に永住権（グリーンカード）を持っている人。

そして、その次が友好国の人のため。この友好国はイギリス、カナダ、オーストラリア、ニュージーランドの四ヵ国で日本は入っていない。日本は三番目の「その他」の国なのである。つまりは、とうてい届かぬ片思いなのだ。

いま、日本は韓国をホワイト国からはずすなどと言っているが、アメリカから見れば日本は〝第三の男〟ならぬ「第三の国」だということを知っておいたほうがいいだろう。

河野太郎がどうしても「無礼だ」と言いたいなら、アメリカに対して言ったらいい。

安倍はもちろんだが、その側近を気どる経産相の世耕弘成のバカ派ぶりもひどい。ちょうど二〇〇〇年の一一月一五日に開かれた参議院の憲法調査会に私は参考人として出席し、護憲の立場から意見を述べた。この時、改憲の立場から意見陳述したのが西部邁である。

それはともかく、そこで私は一九八五年に自民党が新綱領を制定する過程で発表した渡辺美智雄の発言を紹介した。

改憲を主張すると思われたミッチーが、起草委員の田中秀征にこういったというのである。

「気がすすまない女房を親や周囲に押しつけられた。いつか代えよう、いつか代えようと思っているうちに四〇年も経ってしまった。見直してみると、こんな女房でもいいところはある。第一、四〇年大過なくやってきたし、いい子もつくってくれた。何より四〇年間に自分もなじんでしまった。昔、代えようと思っていた気持ちもだんだん変わってくる」

「気がすすまない女房」とは日本国憲法のことである。

この発言は見事な保守政治家の知恵だと思うがと付け加えたのに、そこにいた世耕が立って、「私は先輩たちのそういうアイマイな感覚も変えていきたいのです」とぬかしたのである。

河野も世耕も世襲のバカボン。知恵を否定する知恵なき輩は度し難しとしか言いようがない。

（二〇一九・八・九）

批判精神なき不安産業

「情報産業は情に報いる産業であり、医者や弁護士と同じように、知りえた秘密を守る義務がある」

その分野の草分けの日本ナレッジインダストリ社長、西尾出は口癖のようにこう言っていた。

佐藤春夫の「秋刀魚の歌」は「秋風よ、情（こころ）あらば伝えてよ」と始まるが、情（なさけ）は、すなわち情（こころ）だというのである。

知り合ったころの西尾は還暦くらいで、わたしより二〇歳以上も上だったが、心身共に若々しく、忘年の交わりをさせてもらった。

そんな西尾よりずっと若いのに、少しも若い感じがしなかったのが、リクルートの創業者、江副浩正である。

リクルートキャリアが、「リクナビ」の登録学生の「内定辞退率」を予測し、選考中の企業に販売していたという問題で、江副とのスレ違ったインタビューを思い出した。

私が「広告と情報の違い」について尋ねると、江副はこう言ったのである。

「私たちのやっている仕事は当事者の情報を流すことだと思っています。ウチの会社はこういう会社ですということを本人が述べる。それをわれわれがメディアとして取り次ぐ。それが広告だと思うんですね。それと、あなたが言われた第三者の記事、情報とは違う。その違いははっきりあるんだけれども、しかし、両者はだんだん接近してきていて、企業が自らを語るものと、第三者がその企業を語るものは非常に近くなっている。その傾向はファッション誌などに顕著で、どこまでが記事で、どこまでが広告なのか、ほとんどわからない。そういうように、広告と情報の領域が非常にアイマイになってきている」

しかし、それはリクルートが第三者の目をもって企業に対する辛口記事を掲載せず、その領域をアイマイにしたからだろう。アイマイにするというよりは、スポンサーないしはクライアントの企業の意のままに運営した結果、リクナビのような問題も発生させたのである。

小さいころは科学者になりたかったという江副は私に、「どちらかといえば人文科学的なことがダメ」で、「文学とか絵、音楽といったものについてはほとんど興味がありません」とも言っていた。西尾流に言えば、情報産業の原点である情がないのである。

この江副の延長線上に堀江貴文がいる。あるいは竹中平蔵もこの系譜に加えて間違いないだろう。要するにカネ儲けしか頭にないのである。

私は『世界』の一九八九年四月号に「不安産業リクルート」を書いた。学生の不安を食って急成長したリクルートを、生命保険や損害保険、あるいは警備保障のセコムのような不安産業の一つと定義したのである。

それから三〇年経って、不安はますます増大し、不安産業もねじくれてきた。

（二〇一九・八・一六）

ウソを書かせてみる

集英社新書の書下ろしで魯迅について書き、二〇一九年一〇月に『いま、なぜ魯迅か』というタイトルで出る。

その過程で、改めていろいろ関連の本を読んだが、片山智行の『魯迅』（中公新書）はひどかった。やはり、大学のセンセイには生ける魯迅はわからない。

片山は序章で、魯迅のことばとして「いちばん嫌いなものは嘘つきと煤煙、いちばん好きなものは正直者と月夜」を紹介する。

これは増田渉に魯迅が話したものだという。しかし、魯迅は、権力者の嘘は徹底的に糾弾したが、嘘をすべて排除したわけではない。民衆が権力者に対してつく嘘には、むしろ喝采を送った。それがわからずにこう書くのは、魯迅の本質を理解していないからだと言うしかない。

「傷逝」という作品で魯迅は書く。

「虚偽の重荷を背負う勇気が私にはないばかりに、私は真実の重荷を彼女の肩におろしてしまった」

嘘を嫌って本当のことを言うことが自分の負うべき重荷を軽くすることになる場合があるということである。

「正直は最良の宝」などと真顔で言う人間を私は信用しない。

生活綴方運動を推進し、戦争中に捕まった国分一太郎という人がいる、『教師』（岩波新書）などを書いたが、その国分を偲ぶ「こぶし忌」で話したことがある。

出身地の山形県東根市で開かれたその追悼集会で「国分一太郎のしなやかさと頑固さ」と題して講演したのは二〇年ほど前の春だった。

国分が好きだったというこぶしの花にちなんで、こぶし忌という。一九一一年生まれの国分は、一九〇九年生まれの私の父より、旧制山形師範で三年後輩になる。書一筋で非社会派の父は、教師になった私が国分のように官憲にねらわれる存在になるのではと心配して、国分の『石をもて追わるるごとく』（英宝社）をひそかに読んでいた、と後に姉から聞いた。

それはともかく、私は国分の『君ひとの子の師であれば』（教育新書）を読み返し、その中の「ウソをかかせてみる」に瞠目した。生活をリアルに欠けと主張した綴方運動の旗手がこうすすめているのである。

なぜ、そうするのか。

「日本人または日本の子どもたちが『字でかいてあるもの、文章にかいてあるものは何でも真実だ』と思いたがる習性を訂正するためです。新聞や雑誌をよんでも、そのまま信じてしまうくせを、いくらかでもなくしたいものだと思うからです。文章のなかみが、ウソか本当かを、よく考えながら、吟味して読む警戒心をつけたいのです」

同じ字を使って、書こうと思えば、ウソも書けるし、本当も書ける。教師たちは作文を書かせる時、「ほんとうのこと書け」と教えるが、それだけでいいのか。

自分が素直な気持ちで本当のことを書くと、他の人の書いたものも真実だと思ってしまう習性を直したいというのは、とても大切なことだろう。

（二〇一九・八・二三）

公理は一斤何円か？

「否、事実なるものは存在しない。存在するのは解釈だけである」

とニーチェは言った。見方によって事実は異なるということだろう。まして、「真実」は！

魯迅は「立論」で「真実」を痛烈に皮肉った。これは『野草』（岩波文庫）所収の小品である。

ある家で男の子が生まれた。

ひと月目の誕生祝いに抱いてきて来客に見せる。

「この子はいまに金持ちになりますよ」とか、「この子はいまに役人になりますよ」と言った人は感謝された。

しかし、ある男が「この子はいまに死にますよ」と言ったので、家中の者から袋叩きにされた。

それで小学校の教師に尋ねると。

「死にますと言ったのは、当たり前のことで、富貴になれると言ったのは、嘘かもしれない、だが、嘘を言ったものは、よい報酬を得、当たり前のことを言ったものは、殴られる。おまえは……」

と言われて、

「私は、嘘も言いたくありませんし、殴られたくもありません、先生、では私は、何と言ったらいいのでしょう？」

と問いかける。すると教師は、

「それなら、おまえは、こう言わなければならぬ。『まあまあ、この子は、ほら、何てまあ……いや、どうも、ハッハッハ、ヘッヘ、ヘッヘッヘ』」

と教えるのである。

真実なるものを貴び、嘘を排撃すべきものと簡単に割り切れる見方に対する痛烈な反撃だろう。

私はもっと端的に「権力者のつく嘘は許されない。しかし、私たちのつく嘘は許される」と断定する。

それでは公平ではないと叫ぶ人たちもいるかもしれない。

それに対しては「フェアプレーは時期尚早」という魯迅の指摘を思い出させてもいいし、「公理の所在」という魯迅の短文を紹介してもいい。

北京の中央公園に「公理戦勝」と書かれた石碑が立っていた。「公理の持ち主は勝利する」という意味があり、また、「勝ったものには公理がある」という意味だともいう。

日本流に言えば、「勝てば官軍」だろうか。しかし、賊軍とされた庄内藩の出身者としては、笑わせるなとしか言えない。官軍に公理などなかったからである。

この短文を魯迅はこう結ぶ。

「それからもう一つお聞きしたいのですが、『公理』は一斤何円ですか？」

権力者は、つまり、公理も買うことができるのである。

東大教授で中央労働委員会の会長をした末弘厳太郎に「嘘の効用」と題した卓論がある。

私が編集して解説を書いた末弘の『役人学三則』（岩波現代文庫）に入っているが、その内容と末弘という人の紹介については別項「末弘厳太郎の『嘘の効用』」（一六〇頁）を読んでいただきたい。

（二〇一九・九・六）

明の時代には沖縄を「大琉球」、台湾を「小琉球」と呼んだという。それほどに沖縄と台湾は近く、漁場も同じとかで交流が深かった。

「小琉球」への旅

二〇一九年九月二日から六日まで、田中秀征に誘われて、その台湾に行って来た。すべての手続きをして同行してくれたのが立憲民主党の落合貴之。今年ちょうど四〇歳の彼は中学時代に田中に手紙を書き、返事をもらって以来、ズーッと師事している。

東京は世田谷生まれで慶應を出て三井住友銀行に入った。すぐにも政治の世界に飛び込みたかったが、まずサラリーマン生活を経験しろと田中に言われ、三年間の銀行員生活を送った。そして、江田憲司の秘書となる。

その面接で「本当は田中秀征先生の秘書になりたいんですが、田中先生は落選してしまったので江田先生の秘書にして下さい」と言わずもがなのことを言い、江田に苦笑されたらしい。田中とは、田中が開いた民権塾の塾生としての関係が続いている。

田中は元代議士で、落合は現代議士。その二人と共に私はエコノミーの乗客となった。落合は学生時代から世界各地を歩いているが、国会議員になっても、大使館などには連絡せず、直かに現地の人と触れ合うようにしているとか。

それを聞いて、元首相の村山富市のエピソードを思い出した。首相をやめて大分に越してから上京する時に、村山はエコノミーに乗るという。それを見て、ある時、客室乗務員（スチュアーデスをいまはこう呼ぶ）が、

「村山先生、私、先生を尊敬します」と言ったという。

村山は「わしゃ、この方が気楽じゃから」と照れていたが、誰にもできることではない。

台湾については、一九七七年に私が編集していた『VISION』という経済誌で「台湾、孤立の中の繁栄」という特集を組んで、ビックリするような反響があったことも忘れられない。当時は中国との国交回復、台湾との国交断絶によって、世の関心はほとんど中国に向けられていた。その逆を突くように台湾特集を組んで予想以上に当たったのである。執筆は唯一、台湾に特派員を送っていた産経新聞の記者に頼んだ。

めったにない売れ行きに鼻をうごめかしていたら、竹内好がすでに一九六九年二月号の『中国』で「もっと台湾を」と題して、こう書いていることを知って、その見識に脱帽した。

「台湾は中国社会の一部である。政治的には、本土との間に敵対関係がつづいているわけだが、これは政府だけの話で、文化的にはむしろ一体化が進行していると見た方がよい。私はもっと台湾のことを知りたい。台湾社会の動態について知りたい。神田の街を歩くたびにそれを感ずる」

ちょうど半世紀前のこの指摘は現在も有効性を失っていないだろう。

（二〇一九・九・一三）

東京電力は地域独占を返上せよ

資本主義は自由競争によって製品やサービスをより安く提供するのだという。ならば、日本の電力業界は資本主義の枠外にある。東京電力をはじめ、関西電力、九州電力など、それぞれ地域独占が認められているからである。

東京に住む人間が、東電を嫌いだからと言って、たとえば中部電力から電気を「買う」わけにはいかない。そういう意味で電力会社はある種の特権を享受しているのだが、それには安定供給の義務を負う。安定的に電力を供給するのは大変なことだからと地域独占を認められているのである。

しかし、今度の台風による千葉地方の停電について、安定供給の裏返しの地域独占にはほとんど言及されていない。

台風にもかかわらず内閣改造を強行した安倍晋三らの無責任は当然、指弾されて然るべきである。だが、それ以上にやはり東京電力幹部の責任を問うべきではないのか。

地域独占で宣伝する必要もないのだから、広告宣伝費はゼロでもいいのに、東電をはじめとした電力会社は原発反対の意見を封ずるため、多額のそれを投じてきた。あの費用を、電柱を地下に埋設するために使っていたら、今度のような長期の停電には至らなかっただろう。再稼働を含めて原発に固執しているから惨事を招く。私は、東電は地域独占を放棄せよという声が上がらないのはおかしいと思っている。

また、あの福島原発の事故で会長だった勝俣恒久らが無罪になったのも納得がいかない。つまり、彼らは何も知らなかった、自分は無能でしたと主張して罪を免れたわけだが、それではアホでもつとまるのが東電の経営者なのか。

いまから五〇年以上前の一九六八年夏。カネミ倉庫の米ぬか油製造工場でＰＣＢが食用油に混入し、西日本を中心に一万人を超える被害者が出た。この裁判で注目されたのはカネミ倉庫の社長と工場長の責任の違いである。

一九六九年二月に患者がカネミとＰＣＢ製造元の鐘淵化学を相手どって起こした裁判で、刑法二一一条の業務上過失致死罪で社長と工場長を起訴した検察側は、この罪を成立させるためには、
一、因果関係のあること
二、事故発生を予見していたこと
三、結果回避義務違反のあること
四、具体的監督義務をもった業務上の地位にあること
の四つを立証しなければならなかった。

それで、一九七八年三月の刑事裁判判決で、工場長の罪は完全に立証され、禁錮一年六ヵ月の実刑判決が出たけれども社長は無罪となった。社長は事務系なので技術的側面は全部、工場長に委ねていて、そちらの能力はなかったとされたからである。

それで患者たちはこの時、

「技術的に知識も能力もない者でも社長がつとまるのか。社長とは本当にラクな仕事だ」

と怨みまじりに言ったという。

その構図はまったく変わっていない。

（二〇一九・九・二七）

関西電力と原発推進の異常識

福井県高浜町の元助役、森山栄治から関西電力会長の八木誠や社長の岩根茂樹らが金品を受け取っていたことが明らかになった。

原発マネーが還流していたわけだが、岩根の記者会見が珍無類である。

「地元の有力者で、地域調整の観点でお世話になっている。先方も厳しい態度で返却を拒まれたので関係悪化を恐れた」

「社長就任後に本社にごあいさつに来られた。原子力事業運営と地域に関して話した後、直接受け取った。役員から高額なのもかもしれないと言われ別に管理した」

ムリなものを町に押しつける先兵の役割を森山は果していたのだと思うが、そのために返却できなくて一時管理したという説明が通ると思っている岩根の神経は正常ではない。

しかし、私は、あの3・11の後に『東奥日報』の電気事業連合会の全面広告で原発の必要性を強調した佐藤優や『週刊新潮』の広告でやはり同じような主張をした山内昌之と岩根らの顔が重なって見えて仕方がない。

むしろ、森山とダブるというべきか。いずれにせよ、原発マネーにまみれている輩である。

他の電力会社も異常だが、原発に依存する率の高い関電が特にひどい。この体質は変わらないと私は断言する。なぜなら、三〇年ほど前にこんなことがあったからである。

当時、私はそれを指弾して『佐高信の辛口一〇〇社辞典』（七つ森書館）に収録した。

一九九一年二月九日、関電美浜原発二号機で、それまで国や電力会社が「起こりえない」と言ってきた蒸気発生器細管の破断事故が発生した。スリーマイル島原発事故に比すべき大事故を惹き起こしかねないものだったが、当時筆頭副社長だった飯田孝三は、二月一九日午前、通産省（現経産省）資源エネルギー庁に呼ばれて、今後は二次冷却水の放射能濃度に有意な変化があれば、原子炉を止めるよう指示されると、「真摯に受け止め、指示通りやる」と神妙だったのに、同日午後、経団連で記者会見した時には、二次冷却水の放射能濃度が二〇％上昇すると、運転停止になると聞いて、「これでは運転するより止めた方が安全というようなものだ。この基準が元では、半年に一度くらい止めることになりかねないが、あまり止めていては電力供給に支障がある」と居直った。

それを知ったエネ庁が「指示が実施されなければそれなりの対応を考える」と態度を硬化させると、二〇日の朝に、あわてて同庁長官に電話で謝罪する一方、大阪の本社で記者会見し、こう釈明した。

「私の真意が伝わらなかった。不徳の致すところで、深くおわびしたい。（新基準を本社で受け入れたことを知らないまま申し上げたのはいけなかった。よく聞いてみると、新基準でも原子炉はめったに停止することはないそうで、私の発言は間違っていた」

この「釈明」がタテマエで、「反発」の方がホンネであることは明らかだろう。

電力会社は役所と会社の悪い点を併せ持っている。

（二〇一九・一〇・四）

関西電力の「二・二六事件」

一九八六年に『朝日ジャーナル』に連載された「企業探検」という連載はタブー視された大企業の内幕をえぐって評判を呼んだが、とりわけ奥村宏の描いた「関西電力」は大きな反響を惹き起こした。

タイトルは「原発一本槍を走る密室企業」で、「年間一千億キロワット時もの電力を生産している電力会社だが、その内部は真っ暗闇で外からはもちろん、内部の人間にも会社がどうなっているのかさっぱりわからない。とりわけ人事は密室人事である」と始まり、「この暗闇の王国にいま必要なのは、電気の明かりである。『もっと光を』というゲーテの言葉をこの会社の経営陣と社員に進呈する」と皮肉に結ばれる。

ポイントは、関電のドンで名誉会長になっても代表権を手放さなかった芦原義重が社長の小林庄一郎を会長に棚上げして、自分の女婿の森井清二を社長に据えたことへの批判だった。

そして、一九八七年二月二六日、「事件」は起こる。

その日の役員会で、突如、芦原とその腹心の内藤千百里らの取締役退任が決議されたのである。小林によるクーデターともいわれたが、起爆剤となったのは『朝日ジャーナル』の奥村レポートだった。

公益企業たる関電を私物化した芦原の無二の忠臣が、副社長になっても芦原の秘書をやっていた内藤だった。

清水一行の『小説財界』（集英社文庫）に内藤は「藤井特務機関」を駆使する「藤井」という名で登場する。

「藤井は芦塚（芦原がモデル）の股肱の臣として、社内的に藤井直結の親衛隊を配置し、二重三重のスパイ網を張り巡らしながら、幹部社員の動向を常にキャッチしていた。そして幹部社員の中に、芦塚体制を批判するような不穏な動きがあると、いち早く芦塚から与えられた人事権を行使し、事前にそれらの芽を摘み取ることで、現在の確固たる芦塚天皇……体制を築いてきたのだった」

当時の『週刊文春』には、副社長の内藤がゴルフの後、風呂場で芦原の背中を流していたという話も出ている。

関電の常勤女子社員がはっきりした雇用契約もないままに、九年間にわたって芦原邸の「お手伝いさん」として使われていたという事実もある。

内藤のような〝副社長秘書〟に支えられて、芦原は八五歳まで副社長以上が出席して毎月一回は開かれる最高経営会議の座長をしていた。

この芦原を社長にした太田垣士郎にとっては思いもよらぬことだっただろう。太田垣は公私の区別にとても厳しく、内橋克人によれば、こんな権力観をもっていたという。

「キミ、人間が権力にしがみつく、と言うのは、ありゃウソだよ。それは逆で、権力の方から人間に取りついてくるんだ、だから、人間のほうがよほど邪険に権力を振り払わんと、どこまでもつきまとわれる」

太田垣は権力亡者と言われていたある財界人を「いちばん分かっとらんのは本人だよ」と言ったと言うが、芦原以下の後輩たちがまさに亡者になってしまった。

（二〇一九・一〇・一一）

関西電力の反原発町長暗殺指令

東日本大震災の津波で犠牲になった宮城県石巻市立大川小学校の遺族が市と県の責任を問うた裁判で、最高裁は公共施設を管理・運営する側に事前の対策に不備を認めて賠償を命じた判決を確定させた。津波被害について「予見は十分可能だった」というのである。

しかし、私はこれに強烈な違和感を持った。ならば、東京電力会長の勝俣恒久らはなぜ無罪となったのか？　こと原発に関わる話になると、司法まで推進派の味方をする。裁判所だけでなく、検察までそうである。

福島県知事だった佐藤栄佐久の『知事抹殺―つくられた福島汚職事件』（平凡社）がそれを赤裸々に描く。

「知事は日本にとってよろしくない。いずれは抹殺する」

佐藤と共謀して収賄したという罪に問われた弟の祐二は、東京地検特捜部検事の森本宏にこう脅された。

祐二はまた、やはり森本に、

「中学生の娘が卒業するまでここから出さない」

と取調室で言われてもいる。

なぜ、佐藤栄佐久はここまで東京地検に睨まれたのか？

それは、自民党の参議院議員だった佐藤があまりにも安全を無視した国の原子力（発電）政策に「待った」をかけたからだった。

そもそも原発に反対ではなかった佐藤が東京電力の「度重なるデータ捏造」に業を煮やし、「原子力政策は、もう国や電力会社だけに任せてはおけない」と決意する。そこから知事の強引な逮捕までは一直線だった。

道州制にも反対していた佐藤はやはり目障りな存在だったのだと思うが、佐藤は「マスメディアも共犯」と指弾している。

佐藤の場合は「抹殺」と言っても「殺人」ではなかったが、関西電力によって文字通り殺されようとした町長がいる。

東日本大震災の二〇一一年一二月に出された斎藤真著『関西電力反原発町長暗殺指令』(宝島社)がそのおどろおどろしい未遂事件を伝える。オビには「犬を使って殺れ!」とあり、「ミステリーを超えた戦慄ノンフィクション」と謳う。

舞台は元助役の森山栄治で一躍有名になった福井県の高浜町で、暗殺指令の対象となったのは原発を積極的に推進しなかった町長(当時)の今井理一である。

関西電力のKという首脳の依頼で原発の警備会社を始めた加藤義孝と犬のブリーダーの矢竹雄兒が警備犬を使って今井を暗殺しようとしたことを斎藤に打ち明け、それは『週刊現代』に二回に分けて掲載された。

ところが、同年八月二五日、加藤と矢竹は突然、恐喝容疑で逮捕される。関電と警察がつるんで臭いものにフタをしようとしたのだろう。

この事件には、関電と政界のパイプ役として暗躍した元副社長の内藤千百里の息子も登場する。

(二〇一九・一〇・一八)

藤沢周平から賀状廃止まで

『サンデー毎日』二〇一九年一一月三日号に藤沢周平について書いた。四頁分である。

「新潟から日本海の海岸線を北上する特急いなほは、山形との県境を越えると、最初にあつみ温泉駅に停まる。その温海の老舗旅館、萬国屋で田中角栄の後援会である越山会の忘年会は開かれていた。新潟ではどこでやっても差し障りがあるので、山形まで越境してきていたのだろう」

こんな書き出しで、

「田中角栄と藤沢周平には共通点があると言ったら、驚く人が多いだろうか」

と続く。

以下は是非『サン毎』で読んでほしいが、依頼を受けた時は、藤沢の句作に触れる予定だった。しかし、その前に紙数が尽きた。

藤沢は篠田悌二郎や能村登四郎の句が好きだった。篠田は水原秋桜子の門下である。

○でもいつか来るものはくる冬の菊

○人の世の深さを測る初冬の夜

ある種の諦念を湛えた篠田の句を愛した藤沢の句を少し挙げてみよう。

○故郷には母古雛を祭るらむ
○桐咲くや田を売る話多き村
○メーデーは過ぎて貧しきもの貧し

能村登四郎には「北国の雪の匂いの賀状来る」という句がある。そう言えば、賀状をやめて、およそ二〇年になる。

「今年から賀状を出さないことにしました。日本の現状で『おめでとうございます』と言う気になれないからですが、それでも発言は続けていきます」

こんな「寒中見舞い」を出したのは二〇〇一年の一月末だった。

それに対して何通かの手紙をもらったが、宮崎在住の歌人、伊藤一彦の便りに「なるほど」と思った。

伊藤は二〇〇一年一月二三日付『読売新聞』の「短歌」月評に、折口信夫の言葉を引いたので、なおいっそう共感したという。

伊藤によれば岡野弘彦の力作『折口信夫伝』(中央公論新社)に、教え子が年明けに折口におめでとうございますと言う場面が出てくる。

すると、折口は怒った。

「正月をめでたいというふうな伝襲的な考へを、若い者は口にする必要はない」

一九一六(大正五)年のことである。

「新しい年の来訪を機として、この世の人間の生活をしんそこから新しく力ある内容に変えようとする、それが正月の意義である」

と折口は言いたかったのであり、

「同行者であるはずの教え子が、世俗の常識そのままに伝襲的な気持ち」でいたのを憤ったのだと岡野は書いているという。

同郷の若山牧水の研究家としても知られる伊藤は、その月評で高野公彦のこんな歌を引いている。

○人体にピアス増えゆくさまに似て
　列島に在る原発幾つ

「原発が列島の異物なら、移植される臓器も異物として他者の身体に入る」が、二〇一一年の原発大事故は異物が列島を破壊することを教えた。

（二〇一九・一〇・二五）

「社会」が理解できない安倍政権下での大弾圧

独占禁止法は経営者にとって理不尽な法律である。その会社が違法な行為をして大きくなったのでなくとも、シェアが独占もしくは寡占状態になったら、分割されたりすることになるからである。資本主義の憲法ともいわれる独禁法は競争によって市場の活性化を図るために、経営者から見れば理不尽なことをすると決めている。

こうした経済法や労働法は、公法と私法だけでは解決できなくなった事態を打開するものとして生まれてきた。それで社会法という。

岸井成格と私が同期生だった慶大法学部のゼミの峯村光郎は法哲学と同時に労働法や経済法を教え、公共企業体等労働委員会の会長もしていた。

残念ながら日本の経営者には労働法を含む社会法への理解がない者が多く、峯村はそれを嘆いていたが、政治家でも特に世襲の政治家は労働組合に敵意を持っている。つまり、「社会」ということを理解できないのである。

親の財産を相続した安倍晋三なども、自分の財産だから勝手にしていいだろうという私法の頭から脱却できない。そして、公と言えば国のことだと思っている。非常に狭いのである。しかし、網野善彦が指摘したように、領土、領海の外に公海がある。領土すなわち国土は公土ではないのだ。

この基準が理解できないために「関西生コン事件」は起き、泥沼化している。

全日本建設運輸労働組合関西地区生コン支部（関生支部）は、いま、とてつもない弾圧を食らっている。

延べ八一人が逮捕され、六六人が起訴された。

アルバイトの正社員化や子どもを保育園に入れるための就労証明書を求めたことでも逮捕されているのだから驚く。

執行委員長は六件で起訴され、副執行委員長は八件で起訴されて現在も勾留中である。

弁護に奔走している太田健義は、

「一つの事件で保釈を取れそうになると別件逮捕し、保釈金もどんどん積み上がっていく。組合潰しの弾圧であることは明白だ」

と憤っている。

保釈条件もムチャクチャで、接触禁止の対象者が「〇〇株式会社関係者」となっていたり、弁護人を介せば接触できるのに、それを書いていなかったりとデタラメ。

安倍らタカ派のはびこる現政権で裁判所も完全におかしくなっている。逆らう者はどんなことをしても捕まえるという姿勢である。

私は弁護士の宮里邦雄らと共に「支える会」の共同代表となっているが、先日の会合で宮里は改めて労働関係調整法の第七条(争議行為)は「この法律において争議行為とは、同盟罷業、怠業、作業所閉鎖その他労働関係の当事者が、その主張を貫徹することを目的として行ふ行為及びこれに対抗する行為であって、業務の正常な運営を阻害するものをいふ」と定めていると指摘していた。

ストライキ等は「業務の正常な運営を阻害する」正常な行為だということである。

なのにストライキもしていない組合幹部を弾圧している。

(二〇一九・一一・一)

ヒモノも腐る

文化勲章の受章者などにおよそ興味はないが、今年のそれに佐々木毅の名があって、アレッと思った。そうしたら、学生時代から佐々木をよく知っている人間から「笑いが止まらない」というメールが届いた。呆れているのである。

私は佐々木について『世界』のコラムに書いたことがある。題して「ハマコー以下の東大教授」、その後に佐々木は東大総長になったから、「ハマコー以下の東大総長」だ。

『世界』に書くことを名誉と思い、岩波書店の袋をこれ見よがしに持ち歩くセンセイたちが多い東京大学だから、このコラムは佐々木が属する同大法学部の教授会でも話題になったらしい。上昇志向の強い佐々木に対する批判が底流に渦巻いているのだろう。

知人のメールにはそこまでは書いていなかったが、佐々木に文化勲章をやるようでは日本は〝文化低国〟だということである。

私は政治学が専門の佐々木が小選挙区制を推進したことを批判した。

ハマコーとは浜田幸一で、ある政治研究会主催の講演会でハマコーと私は一緒になった。私が先に講演していたら、途中でハマコーが入ってきた。

控え室で少し聞いていたが、ハマコーは「私は日本一悪い政治家、浜幸という男です。その浜幸に発言の機会を与えて下さった皆様に心から敬意を表します」と切り出した。

そして小選挙区制に反対し、「大統領制の国家の中で、五ヵ国、小選挙区制をやっている国がある。カネがかかりすぎてしょうがないし、小選挙区制を止めたいと言っている国もある。日本の場合は、それと逆のことを言っている」と続けた。

当時、反対は「守旧派」、推進が「改革派」とまちがって呼ばれたのである。河野洋平や岸井成格など推進派はその後、それを過ちだったと語った。しかし、佐々木から反省の弁を聞いたことはない。

私がそのコラムを書いたのは一九九四年の春だったが、「ハマコーよりもズサンな信念（珍念）を披歴している東大教授」として佐々木を挙げ、同年の五月祭に東大生はハマコーを呼んだらしいが、センセイの方もハマコーに学ばなければならない、と皮肉った。

政治改革という名の小選挙区制推進派の佐々木が、羽田（孜）内閣の総辞職に触れ、六月二六日付の『東京新聞』でこう言っていたからである。

「今度の総辞職によって、連立与党は政治改革の担い手としても面子を維持したのみならず、次に出来上がる政権が政治改革つぶしのようなことをすることをあらかじめ封じたという面もある。古い制度での選挙か、総辞職かという選択においては、後者の選択しかないことを羽田内閣は身をもって示したからである」

私は大学および大学教授を現実の動きに無知なヒモノと言っているが、佐々木の例はヒモノも腐るということを教えている。

（二〇一九・一一・一五）

最後の総会屋、芳賀龍臥の独白

『サンデー毎日』の二〇一九年一一月二四日号に「清水一行伝説」を書くに際して、清水の代表作『虚業集団』（光文社）のモデルの芳賀に取材した時のことから入った。

のちに『西武を潰した総会屋　芳賀龍臥』（ＷＡＶＥ出版）をまとめた『週刊金曜日』の編集長、平井康嗣に、「芳賀がサタカさんに会いたがっている」と言われて、同誌の二〇〇四年六月二五日号でインタビューした。

かつてはへびのような目をした怖い男が、かわいらしい好々爺に変わってしまっているのに、まず驚いた。ほぼ二〇年ぶりの再会である。最後の女性となった夫人が選んだ「ルパン三世」の不二子が艶然と微笑む派手なパジャマを着ている。

途中、ちょっと言葉が途絶えて、どうしたのかなと思ったら、唇を噛むようにして泣いていた。これがあの、私をにらみすえて、

「ヘンなことを書いたら殺す」

と脅した芳賀なのか、と改めて見直したほどである。

インタビューはとくに新聞記者等の玄人から評判が良かったが、話は抜群におもしろかった。おもしろすぎて眉にツバをつけたくなるところもあったが、病気で弱って、もう遺言のつもりだから話しておきたいと再三電話をかけてきた芳賀の気持ちにウソはなかったのだろう。

西武の堤義明の父親の「ピストル堤」こと堤康次郎と、東急の「強盗慶太」ならぬ五島慶太の両方から

カネをもらっていたという。

昭和三〇年代で、堤は「五万円、一〇万円とくれた」が、五島は「サラリーマン社長だから、けちんぼ」で、「会社からだと言って、三〇〇〇円か五〇〇〇円」だった。

両者からウラを取りたかったが、すでに亡くなっている。

しかし、ウラが取れるような話はオモテには出てこないのであり、そういう闇の社会に生きてきたから芳賀の話はスリリングなのである。

堤義明の会長辞任に発展した西武鉄道の利益供与事件にしても、警察は芳賀の名前を出して義明を追いつめ、結局は同社に「天下り」のポストを確保したのだという芳賀の言葉には説得力がある。芳賀が一番近かった政治家は公明党の小川新一郎だとか。

「田中角栄は小遣いをくれた。五万円くらいかな。秘書の早坂茂三が袋に入れてお盆に乗っけて持って来るんだ。角栄は朝が早いから、こっちは八時には目白に行ったよ」

芳賀とは、どの政治家が好きとか嫌いとかの話をしたが、岸信介の名を出すと、芳賀は吐き棄てるように言った。

「あいつは会社ゴロだよ。政治家じゃないよ」

岸内閣の外相の椅子をカネで買った藤山愛一郎は、オーナーだった大日本精糖を岸に食いつぶされたとも言える。それで芳賀は岸を「会社ゴロ」と言ったのである。

（二〇一九・一一・二二）

「中曽根さんのお陰です」

中曽根康弘の訃報が大々的に報じられた二〇一九年一一月三〇日、私は盛岡にいた。「佐高信 文化塾」での今期最後の講演をするためである。その事務局に『元参議院議員小川仁一――売上税反対で男を上げた』（IBC岩手放送）という本があった。

小川は岩手県教職員組合の委員長をやった人で、社会党から出て衆議院議員や参議院議員となっている。中でも壮絶だったのは一九八七年の参議院の補欠選挙で、当時の自民党総裁が中曽根である。奇しくも中曽根と小川は同じ一九一八年生まれだが、小川は中曽根のように長生きはしなかった。

この一九八七年の選挙で小川が自民党の岩動麗を破って当選した時、小川は「中曽根さんのお陰です」と言ったのである。もちろん、皮肉だった。

中曽根が首相として売上税（のちの消費税）導入を強行し、小川は売上税反対と減反反対を訴えた。しかし、岩動麗が亡くなった道行の後継を名乗る夫人であり、いわゆる弔い選挙だった。

小川の立候補も急で、家族会議では「位牌を抱いた候補に勝った例はない。やらない方がいい」という意見が多かった。それに小川夫人が「売上税を認めない人が黙って見送るのですか」と反発し、小川も腹を固める。時に小川は六九歳だった。

選挙の最中に、相手の未亡人候補が「減反」について問われ、「ゲンタンって何ですか」と尋ね返す一幕もあった。そして小川は当選する。

当時の日本社会党の委員長は土井たか子で、土井は「山が動いた」という名文句を吐く。

「中曽根さんのお陰です」というセリフを皮肉な意味で使うためには、日本の原子力発電にも触れなければならないだろう。

拙著『原発文化人50人斬り』(光文社知恵の森文庫)で私は中曽根を「超A級戦犯」として挙げた。

「学者たちが居眠りをしているから、札束で頬を叩いて目を覚まさせるのだ」

一九五四年春、中曽根を中心として、突如、原子力予算案が提出される。それに抗議した学者たちに中曽根はこう言ったといわれるが、中曽根自身は自伝の『政治と人生』(講談社)で、この発言は一緒に予算案提出に奔走した稲葉修のものであり、自分の発言ではないと否定している。

しかし、かなり強引な形で、現在の原子力発電の惨状につながる原子力政策を推進した立役者であることはまちがいない。

中曽根は他人を犠牲にすることに巧みなので、親分の河野一郎から、〝藪枯らし〟と名づけられた。藪をおおって他の植物を枯らしてしまうという意味である。

ロッキード事件でも本ボシは田中角栄ではなく中曽根だったというのは明らかだし、リクルート事件では逮捕を噂された中曽根のかわりに子分の藤波孝生が一切の責任を押しつけられて、その後の政治生命を失い、早々に亡くなっている。

「控え目に生くる幸せ根深汁」と詠んだ藤波を切り捨て、自分だけ生き延びたのである。

(二〇一九・一二・六)

女性という生きづらさ

中国とソ連が路線論争で決裂した後に周恩来がモスクワを訪れた。

そのレセップションでフルシチョフが、

「彼も私も現在はコミュニストだが、彼は大地主の家に育った貴族で私は労働者の息子だという違いがある」

と言った。

満座の中で周を批判したのである。

それに対して周は顔色一つ変えずに言い返した。

「確かにそうだが彼と私には自分の出身階級を裏切ったという共通点がある」

これには満場息をのんだとか。さすがに数々の死線をくぐりぬけた周は肚がすわっている。

二〇一九年一二月一八日付の『社会新報』の連載「佐高信の眼」で私はこの逸話を紹介し、「差別という意味では、女性差別もある種の〝階級差別〟なのではないか。私は女性という〝階級〟があるとも言えるように思う」と付け加えた。

一二月一五日付の『朝日新聞』で上智大学教授の三浦まりが「米軍基地は多数の女性の性被害を生み出してきました。この問題に対しては、女性と男性一般とでは受け止め方が異なると思います。国会議員に占める女性の割合は衆議院で一割。参議院で二割。世界一九一ヵ国中一六三位」と指摘している。

「報道の自由度七二位」に優るとも劣らないひどさだろう。

その三浦と前川喜平、そして福島みずほの鼎談『生きづらさに立ち向かう』（岩波書店）で、三浦は「今回の統一地方選挙では、女性候補者が（政治分野における男女共同参画の推進に関する）法律の目標値である五〇％にかなり近い共産党から、四％ちょっとの自民党まで、かなり差がありました」と言っている。

女性の権利のために長年たたかってきたヒラリー・クリントンが性差別発言を繰り返すトランプに敗れたショックから、アメリカのウィメンたちはすぐに四年後の大統領選を見据えた運動を始めたともいう。

三浦は次のような数字も挙げる。

「法律婚やカップルのうち男性が姓を変えるのは四％で、九六％は女性が変えているのですが、名前を変えない側からすると、特権だと言われるのは突飛なことのように感じられるのでしょう」

女性が抑圧されていて、出生率など上がるはずがない。福島はこう嘆く。

「（韓国と同じく）日本も一〇代、二〇代、三〇代の死因のトップが自殺です。若者の死因のトップが自殺であることと少子化は、この社会の生きづらさの一つの象徴だと思います」

男はやはり甘いのかも知れない。

福島との共著『神は「憲法」に宿りたまう』（七つ森書館）で、私は「意識的な楽観主義者」で「どん底まで悪くなったら、グルッとひっくり返って良くなる」とどこかで思っていると発言し、福島に「いえ、私は『悪くなったらみんなが気づいて立ち上がる』というようなこと、まったく信用していませんよ。そんなことあり得ない。ひどい状態になったら、みんな野垂れ死にするだけですよ」と反論された。見事に一本とられたのである。

（二〇一九・一二・二〇）

イトマン事件とかんぽ生命のつながり

イトマン事件を惹き起こした住友銀行の元頭取、磯田一郎は「向こう傷を問わない」をモットーとしていた。部下の少々の失敗は問題にしないという意味に取られているが、しかし、その姿勢があの事件につながったとも言える。

そんな磯田の薫陶を受けたのが、三井住友銀行の頭取から日本郵政の社長になった西川善文である。竹中平蔵の推挽で西川は社長になった。

小泉純一郎が狂気のように推進した「郵政民営化」ならぬ「郵政〝会社化〟」はそもそも必要なかったと私は思うが、いま、問題になっている「かんぽ生命」の不正販売は、磯田の強引な経営に端を発し、そのDNAを受け継いだ西川によって拡大されたものである。小泉や竹中と共に、磯田や西川も犯人なのだ。

一九三八年生まれの西川は大阪大学を卒業し、一九六一年に住友銀行に入った。同じ年の生まれながら東大法学部を卒業し、一年遅れて住友銀行に入ったのが島村大心である。島村はロンドン、ニューヨークなどの海外支店勤務を経て、一九九〇年に取締役法人部長になったが、翌九一年に退職し、高野山に入って僧侶になった。

私は一九九三年に中京テレビの企画で島村と対談するために高野山に行った。

島村の話で、いまでも忘れられないのは、出世欲にはきりがないということだった。たとえば社長になったら、それで満足かと言うと、そうではなくて、次は何としても実力社長になろうと思う。そして長くその椅子にすわり、次に財界の役職をねらう。より上の勲章をもらうためである。

島村のよく知っている人が、商社の取締役になり、その後、子会社の社長になって落ち込んでいた。一般的には、大商社の取締役になって満足すればいいと思うのだが、「飢餓道」には果てがないのだ、と島村は言った。

島村はそこから自分を引き離したかったのだろう。息子が大学を出て就職するのを待って高野山に入った。腐敗に耐えられなかったのか。

「最初は抵抗ありましたよ」

と言いながら、島村は私たちに給仕してくれた。

大銀行の取締役だった島村が毎日、便所掃除もする。抵抗がない方がおかしい。しかし、三年目になるからか、そういうこだわりを落として、島村は明るかった。

訪ねた翌年に島村から『己を生きる、心を生きる』（日新報道）と題した本が贈られてきた。それを読むと、期せずして西川批判になっている。

「その権限はその地位がもっているもので、そのポストについている個人にあるのではない。ところが、若くしてそのようなポストにつくと、これを混同して、自分が偉くなったと思ってしまう。こういう人は、あなたの周りにも何人かいるはずだ。大組織であればあるほど、そういう人は見つけ易いはずだ。これは一種の慢心であって、人間の心を駄目にする典型的な要素だ」

残念ながら島村は先年亡くなった。

（二〇一九・一二・二七）

自衛隊の前にまず安倍が行け

公明党という共犯者を得て、また、中東に自衛隊が派遣される。外国からは派兵、つまり軍隊の出動としか見られないだろう。

城山三郎は『文藝春秋』の二〇〇四年三月号に「自衛隊を送るよりも小泉総理が行くべきだ」と書いた。

小泉純一郎は城山の愛読者と言って近づき、最初は城山も、選挙民に媚びない小泉をおもしろいと評価していたが、個人情報保護法の強行以来、はっきりと見限っていた。

城山は、自衛隊の本質は「人を救うこと」にあり、人を殺す組織である軍隊とは違う、と強調した。「人を救う使命を持つ組織というユニークさにおいて、日本の自衛隊はおそらく世界でも類をみない存在」であり、城山はこれを「自衛隊の誇るべきとてもいい伝統だ」と主張する。

ところが、自衛隊イラク派遣は自衛隊を「その誇るべき本質から外れる方向に向かわせる」と城山は危惧した。

そして、こうした重大な決断をする前に、小泉総理（当時）はイラクへ飛び、自分の目でイラクを見て、イラクの人に接するべきだった、と指摘した。

小泉が日の丸のマークを付け、日本の政治指導者がやって来たとはっきりわかるようにして、武器をもたずに現場を歩いてみれば、実際にイラクの治安状態はどうなのか、日本人に対する現地の感情はどうなのか、そしてイラクの人たちが何を必要としているのかがすぐわかったはずだという。

「そうして、もしも彼らが丸腰で歩いて安全だと判断すれば、自衛隊を武器を持たせずに派遣すればよい。逆に小泉さんが危ない目にあって危険だと判断したのなら、そういうところに自衛隊を送ることは『戦闘行為』になりますから、派遣を断念すればよかった。日本のリーダーが命懸けで現場に赴き判断すること、これが日本の国民にもイラクの国民にも最もわかりやすい方法です。平和国家を代表して意を尽くしても、テロリストに撃たれることがあるかもしれない。しかし、撃たれたとしても政治家として本懐ではないですか」

城山らしい直言だろう。小泉の時よりも情勢は厳しくなっているのだから、なおさら、まず安倍晋三が行って、危険でないかどうかを判断すべきだろう。「桜を見る会」で雁首並べて乾杯している公明党代表の山口那津男も当然一緒に行くべきだった。

安倍も山口も「テロリストに撃たれることがあるかもしれない。しかし、撃たれたとしても政治家として本懐ではないか」という城山の提言に、今からでも従ってみたらどうか。

私がこう提言すると、サタカはやはり極端だなどと難じられるかもしれないが、政治家が愛読書に挙げることの多い城山がこう言っているのである。

私なりに付け加えるとすれば、安全かどうかわかるまで安倍も山口も帰って来るな、だ。

(二〇二〇・一・一〇)

坪内祐三の感覚

ほぼ一まわり下の文芸評論家、坪内祐三が急死した。いささか破滅的だった坪内に私は法務大臣に〝任命〟されたことがある。坪内が二〇一三年夏に出した『総理大臣になりたい』（講談社）というお遊びの本にこう書いてあるのである。

「法務大臣は呉智英さんにお願いしたいところですが、死刑廃止論者である呉智英さんの持論は〝仇討ち制度の復活を〟で、これは大騒ぎを巻き起し、法務大臣の罷免だけではすまされず、内閣総辞職につながりかねないので佐高信さんでいきます」

呉智英はバッサリやったことがあるが、私と同じ死刑廃止論者だとは知らなかった。しかし、いわゆる右左を問わず私と呉智英を同列にするところに坪内の社会科学オンチが表れている。ただ、私は彼の感覚を、保守的な人間が示す共通的なモノサシとして、私との距離を測る材料にしてきた。

坪内と福田和也の対談時評『暴論』『羊頭狗肉』『不謹慎』『正義はどこにも売っていない』（いずれも扶桑社）等を私は愛読してきたが、私が東日本大震災による原発大事故直後に『原発文化人50人斬り』（光文社知恵の森文庫）を出したことに対して坪内は「ちょっとでも電力会社の原発PRと関係した人を戦犯扱いするのもいやだねぇ」と言っている。

なるほど、こういう反応をするのかと私は思った。徹底追及しないのだろう。ただ、坪内は二〇一四年の時点でオリンピックに反対して、こう指摘している。

「オリンピックで一時的に景気がよくなるけど、終わったらどこも不景気になってるんだよ。六四年の東京オリンピックのあとも大変なことになってる。六五年に戦後初の赤字国債を出したり、山一證券が潰れかけたり、日本沈没状態だったんだけど、神風が吹いたわけ。ベトナム戦争が本格化して、ベトナム特需という神風のおかげで高度成長が続いた。でも今回はそんなことはありえないからね」

また、次の安倍晋三の呆れるばかりのバカさ加減も坪内に教えられた。二〇〇六年末のテレビで安倍が「首相にとっての今年を漢字で一文字でお願いします」と問われ、「『変化』の年ですね」と二文字で答え、あわてた記者が「一文字にするとしたら?」と重ねて尋ねると、「それは……『責任』ですかね」と言ったというのである。

二〇一五年に出した『安倍晋三と翼賛文化人20人斬り』(河出書房新社)で私は坪内と福田を並べて「ノー天気保守」と断罪した。

二〇〇四年の時点で福田が、米軍はすぐにも沖縄の普天間基地を日本に返還すると発言し、坪内もそれに反対していないからである。それで、『噂の真相』の岡留安則に「そういう見方は『文学者』だな」と言われている。フィリピンの基地は返したと反論する福田を岡留は、日本は米軍に「思いやり予算」で、カネをくれるんだから、まったく違うとたしなめた。

こう書いたら、坪内は私を嫌いになったらしい。わかりやすい人ではあった。

(二〇二〇・一・二四)

二階俊博の消せない発言

「昔日の政党は、其争ふ所　薄弱にもせよ　主義
今日の政党は　其争ふ所　多少にもせよ　金銭
昔日の政党は　藩閥政府と相去ること　数千里
今日の政党は　国家人民と相去ること　数千里」

いまからおよそ一二〇年前、政党が未発達のころの中江兆民の指摘だが、残念ながら古びていない。「今日の政党」はますます「其争ふ所」金銭となり、「国家人民」と隔たっている。

その責任の多くを自民党が負わなければならないことは明らかだろう。例年一月に出す時評集のタイトルを今回は『幹事長　二階俊博の暗闘』（河出書房新社）とした。二〇一九年が官房長官の菅義偉である。

それにしても一九九八年の参議院議員選挙を小沢一郎率いる自由党の幹部として戦った二階がこう言っているのを知った時は驚いた。

「自民党の政策に対して、不満をもち苛立ちを持っている中小企業やサラリーマンなどのレベルの高い知識層に評価されたのではないか。選挙運動で働きかけて得た票ではなく、黙って投票してくれた。新聞の愛読者の投票ではレベルの高い新聞の読者は、自由党が圧倒的に多いというデータがある。世間の人は、政治を後ろからしっかり見ている」

要するに自民党に投票するのはレベルの低い人間だと現幹事長が明言しているのだが、この時よりもっと低レベルの選挙民が自民党を支援していることは間違いない。

もっと興味深いのは次の発言だ。

「国民のみなさんが、われわれ自由党に大きなチャンスを与えてくれた。天は、小沢一郎を見放さなかった。媚を売ったり、へつらったり、相手の意見に口先だけ合わせたりする人が横行する永田町において、小沢さんは、ひとりまっしぐらに突き進んできた」

まさに絶賛だが、二階はその小沢と袂を別って自民党に舞い戻った、かつての小沢礼讃を、いま、二階はどう思っているのか。是非、二階番の記者に聞いてもらいたい。

二階の言うように「媚びを売ったり、へつらったり、相手の意見に口先だけ合わせたりする人が横行する永田町」で、二階は違うと言い切れるのかどうか。

この時、二階は五九歳だった。それから二〇年余り経って、現在は八〇歳。とっくに後期高齢者の仲間入りをしている。自民党にも一応定年らしきものがあるのだが、二階は例外として議員を続けてきた。

当時の次の発言も、やはり、特記しておくべき価値がある。いずれ自由党は自民党に合流すると言われていたのを二階はキッパリと否定したのである。

「そんなことをするなら、わざわざ自民党を出ていく必要はなかった。そのようなことは日本の国のためにならない。自由党の存在があってこそはじめて、これだけの大改革ができた。自民党にだけ任せておけば、あと二〇年はかかっただろう」

（二〇二〇・一・三一）

京都市長選挙での論外な出来事

二〇二〇年一月二九日、京都市長選挙の応援に行った。現職の門川大作を自民、公明、立憲民主、国民民主、社民までが相乗りして推薦しているが、私が応援したのは共産とれいわ新撰組が推す弁護士の福山和人。福山は一昨年の京都府知事選挙でも自民党が冷や汗をかくほどに善戦した。

四条烏丸などで演説したが、門川側は一月二六日の『京都新聞』に旧態依然たるアカ批判の広告を出して問題となっていた。

「大切な京都に共産党の市長は『NO』」と大きく書かれ、「未来の京都をつくる会」の名前で九人の顔写真が載っている。立石電機の立石孝雄、京都府知事の西脇隆俊、臨済宗相国寺派管長の有馬頼底、堀場製作所会長の堀場厚、放送作家の小山薫堂、日本画家の千住博、映画監督の中島貞夫、それに俳優の夏木マリと榎木孝明。

ところが、一月三〇日付の『朝日新聞』によれば、これに対して九人中の八人が顔写真などを無断で使われたと反発しているという。

千住は七日、ホームページで「特定の党を批判するようなネガティブキャンペーンには反対です。許可なく無断で掲載されたことを大変遺憾に思います」と言い、小山も翌二八日、「事前の説明も、了承もなく、掲載されたものです」と弁明した。

自民党京都府連幹事長の吉井章は「推薦人として広告などに名前と写真を使用することについては了承を得たと思っていた。内容は確認していなかった。御迷惑をおかけしたら申しわけない」と話したらしいが、無断でなかったという立石を含めて、千住や小山らの甘さを私は批判したい。無責任さと言ってもいい。

彼らは推薦人となることは承知したのだろう。しかし、ヘイトスピーチのような広告に顔を出されるとは思っていなかったというのだが、自民党がこういう体質をもっていることをわからなかったというのは余りに無責任である。

もちろん、こんな候補を推薦した公明、立憲、国民、社民もおかしい。特に立憲や社民は「桜を見る会」疑惑などで激しく対立しているはずの自公と京都では手を結んだのだから無責任極まりない。

ＺＯＺＯの前社長、前澤友作が月旅行に同行する二〇歳以上の女性を募集し、二万七千人余が応募したが、選考も始まっていたそれを中止すると発表した。

「真剣に応募した私がバカでした」とか「個人情報だけをタダで集めた男」等のコメントが寄せられたという。門川の推薦人となった千住や小山と「真剣に応募した私がバカでした」という女性とが私の中では重なる、しかし、彼らは「推薦人となった私がバカでした」とは思わないだろう。立憲、国民、社民もそうである。

大体、門川は四選を目指しているわけで、自民党的にも例外。三選でも安倍政権は腐っているのだから、四選など論外である。

（二〇二〇・二・七）

「無敗の男」中村喜四郎の存在感

豊洲移転前の築地市場の場内にあるその店は少し傾いている感じだった。しかし魚がうまいその店で加藤紘一、落合恵子、私、そして中村喜四郎がテーブルを囲んだ。政治改革という名の小選挙区制が問題になっていたころである。

守旧派などというレッテルを貼られながら小選挙区に反対していた私たちはどうやって運動を進めたらいいか、苦慮していた。小選挙区の弊害は現在露わになっているが、そのころは熱に浮かされたように世論は推進に向かっていた。

加藤が落合に会いたいと言って私が案内し、中村は加藤が連れてきた。なるほど、山崎拓、小泉純一郎、加藤のYKKに中村を加えて、そのころはNYKKと言われていたなと思った。

私は落合に中村のことを「完全黙秘の男」と紹介した。ゼネコン汚職で（梶山静六の身代わりに）逮捕された中村は名前さえ名乗らない完黙を通したのである。左翼の過激派でさえできないと言われた、前人未到の一四〇日間。マスコミに叩かれたためか、徹底したマスコミ嫌いの中村が二五年間の沈黙を破って語ったのが常井健一著『無敗の男　中村喜四郎　全告白』（文藝春秋）である。

一九九四年三月一二日付の各紙に「中村前建設相を逮捕」と報じられているが、この時、贈賄側の鹿島建設副社長、清山信二が、かつての威勢はどこへやら、法廷で空気を抜かれた風船のようになっていたのに、中村は対照的に背筋をのばして立っていた。

小選挙区制は無所属には絶望的に厳しいシステムである。しかし、中村は当選し続け、奇跡といわれてきた。

「私は、あの事件以来、政治献金もゼロで通していますからね。今まで四〇年間も議員やって、一回も金集めの『励ます会』はやったことがない。出版記念会もやらない。自画自賛型、自己陶酔型は一切やらない。普通の政治家がやることは一切やらない」

これを中村は通してきた。選挙前に地元の県議、市長、市議にあいさつに行くこともしない。「喜友会」という後援会には偉い人がいない。

「何かあったら、偉い人ほどすぐ逃げちゃうでしょう」

と語る中村は選挙になると一日一二時間オートバイに乗って運動する。七〇を越えてである。「日本で一番選挙に強い男」と呼ばれるが、そんな声にこう反発する。

「セクハラやパワハラで選挙に落っこちる時代に、実刑食らった人間が国会議員で居続けられるはずがないでしょうよ。手品を使ったって当選できないのに、選挙がうまいとか冗談いわせるなよと思います」

政権与党の逆を張る中村は安倍政権が推進した安保法案の採決に棄権し、共謀罪にはっきりと反対した。いま、野党共闘のオルガナイザーとなっている中村は知事選挙がその一番のベースになると指摘する。

（二〇二〇・二・一四）

日本は頭から腐る

安倍晋三を逆上させた辻元清美の質問「鯛は頭から腐る」が「魚は頭から腐る」の誤用ではないかとネットで騒がれている。

一九九八年に『鯛は頭から腐る』（光文社）と題する時評集を出した者として答えておこう。言うまでもなく鯛も魚であり、際立たせるために鯛としたので誤用とは言えないだろう。私はその後、『日本は頭から腐る』（毎日新聞社）と題した時評集も出した。

ところで、前者の「はじめに」で私は、厚生省（現厚生労働省）を追われた〝はみ出し官僚〟の宮本政於が『お役所の精神分析』（講談社）に書いている凄まじい体験談を引いている。

あるとき宮本は後輩から、

「宮本さん、今週は寿司を食べにいかないほうがいいですよ」

と言われた。なぜかと聞くと、生海老にコレラ菌が発見され、それがもう市場に出回ったからだという。

ならば事実を公にして、国民に警戒を呼びかけるべきだと思うのだが、「上層部」の会議の結果は〝公式発表はなし〟だった。寿司業界がパニックになることを恐れたのである。

幸い、このときはコレラ患者は出なかったが、ある上司に宮本が、この対応はおかしいのではないかと尋ねると、

「君の発想はとても書生っぽい、もっと現実をしっかり把握しなければならない。考えてもみろ、一ヵ月ほど寿司業界、料亭にお客が来なくなったら、経済的なロスは測り知れない。四、五〇人のコレラ患者

なら、入院させて治療しても経済的な負担はたかが知れている。もうちょっと大人の発想をしなければ生きていけないよ」

と言われた。

こんな官僚たちがコロナウイルスの対応に当たっているのだから、おさまるはずがないだろう。

一九四八年生まれで麻布学園を経て日大医学部に学んだ宮本は封建的な日本の医者の世界を嫌い、アメリカの国家試験を受けてニューヨーク医科大の助教授となった。そして日本に戻り、厚生省に入ったのが一九八六年。四〇歳を前にして初めて、日本の〝拘束衣社会（ストレートジャケット・ソサエティ）〟と直面した。

宮本が最初に驚いたのは課のメンバーが連れだって昼食に行くことだった。一人で食事に行ったら課長にイヤミを言われ、課の軍曹的な人からはイジメを受けた。わざと、書類のページの順番を変えてコピーさせ、やり直しを命じたり、次々と転勤させたり、反抗の芽を摘む徹底した去勢教育をする。

そのイジメと闘っている最中に私は雑誌の対談で会い、『官僚に告ぐ！』（朝日新聞社、のち講談社文庫）という共著を出した。

宮本にベストセラーとなった『お役所の掟』（講談社＋α文庫）を書かせたのは麻布で同級生だった『朝日新聞』の若宮啓文であり、若宮が宮本へのアドバイスを頼んだのが作家の石川好だった。

宮本は一九九九年パリの病院で亡くなった。享年五一である。

（二〇二〇・二・二八）

漫才作家、秋田実の背中

秋田実という漫才作家がいた。福田赳夫やサルトル、あるいは阿部定と同じ年で、私の父より四歳ほど上になる。旧制大阪高校を経て東大文学部支那哲学科に進んだが、『大学左派』に小説を書いたり、労働運動に従事して中退した。大阪に帰り、旧友の作家藤沢桓夫らの紹介で横山エンタツと会う。エンタツは花菱アチャコと組んで庶民の日常生活に笑いのネタを求めようとしていたが、秋田はその台本を書くことになった。

そんな秋田を娘の藤田富美恵が描いたのが『父の背中』（潮出版社）である。多分これはもう絶版になっているだろう。

富美恵が次女を生んでまもなく、実家へ遊びに行った時、小さなことで幼い娘たちを叱っていると、秋田は、

「親やと思って、そんなに子供にえらそうにしたらあかん。親と子供は同い年やないか」

と言ったという。

親は、子どもが生まれてはじめて親になるのだから、子どもが三歳なら、親としての年齢も三歳なのだということである。

「まだまだ親としては新米やろ。親も子供と一緒に大きならんとなあ」

こう続けた秋田は、特に不愉快なことが嫌いだった。

「怒って良くなるものは、猫の背中の曲線ぐらいなもの」であり、「怒声も微笑もともにたやすい」が、

「どっちもたやすいのやったら、微笑のほうをとったほうがええと思うけどな」

と言った。

娘の視線によって、ここに見事に秋田の真骨頂がとらえられている。権力者や権威者は「笑い」を嫌う。彼らを瞬時にして突き崩すからである。

高校時代、秋田は二度落第した。著者が秋田の母、つまり祖母に、

「お父ちゃんが二回も落第したとき、おばあちゃんはどう言うてお父ちゃんを怒ったん？」

と聞くと、祖母は答えた。

「別に……。そらがっかりはしたけど、小さいときから身体が弱かった子やし、丈夫でさえあれば上等やと思うたんや」

そうした親に見守られて、秋田は中退後も定職につかず、「笑い」の道を歩き始める。世の中の「有用」とされないものが、あるいは本当に必要なものであるかもしれないという、いわば〝逆照射〟の人生を秋田は歩き通した。

一世を風靡したエンタツ・アチャコと、秋田は一緒になって「言い回しを工夫して」あの「しゃべくり漫才」をつくったのである。

秋田は自伝に「漫才は大阪でしか生まれ育たない大衆芸能であった」と書いている。

蝶々・雄二、いとし・こいし等、秋田とともに笑いを提供した人たちは、いずれも権力や権威が似合わない人たちだった、権威に弱く、弱者には居丈高な東京の芸人たちとはそこが違う。たけしの漫才に、多分、秋田は黙って首を横に振っただろう。


（二〇二〇・三・一三）

羽仁五郎の警告

格差の実態も知らない小役人の今井尚哉という補佐官を頼りに、内閣支持率を上げることにだけ懸命な安倍晋三が緊急事態特別措置法を成立させることに執念を燃やした。しかし、これはまさに「ナントカに刃物」である。大体、緊急事態を招かないことに政府の存在意義がある。戦争になったらどうするか、災害が来たらどうするかとか、タカ派ならぬバカ派の政治家はそう言って国民を脅かすが、そうならないようにするのが彼らの務めなのである。

特措法をめぐる国会のヤリトリを見ていて、私は羽仁五郎の警告を思い出した。

羽仁は名著『都市の論理』（勁草書房）で売春防止法の制定に、これは令状なしの家宅捜索の最初の実例を開くからと反対した時のことを書いている。

「そのためにぼくは女性議員たちにずいぶん罵倒されて、『羽仁先生は、お母さんや奥さんの多年の御苦心の意味がわからないのですか』とまでいって女性議員たちに叱られましたが、話が違うのである。ぼくは女性が売春してよいと言っているのではないのだ。売春をこの法律で防げるのであれば賛成するが、防げやしない。そしてほかに副作用があって、これから令状なしの臨検、もっと早く言えば令状なしの逮捕がはじまるということに、あくまで反対するのです。共産党もこの売春防止法には賛成していたのです。共産党も場合によっては令状なしの逮捕というものを承認したのかと、それ以来ぼくは共産党に対する多年の信頼を少し失いました。ぼくはどういう理由であれ令状なしで捜査されたり、逮捕されたりするのはいやだ」

その後、警察の腐敗が連続して発覚した時に、私は改めて羽仁の洞察力に感服した。もちろん、コロナウイルスを防ぐことに反対しているわけではない。しかし、本当に特措法は必要だったのか？

羽仁の発想には驚くことが多い。例えば、こんなことを言ったこともある。

「共産党も、財界からカネをもらわない唯一の政党だなどというのは、自分は色気のない唯一の女だと言っているようなもので、感服していいものやら、あきれていいものやらね。共産党も少し財界からカネをもらってでも財界をひっくり返してくれるほうがいいよ。カネももらわないけど倒す力もないというんじゃ、まったくナンセンスだ」

『都市の論理』の次の指摘も忘れられない。

「日本では最近まで私生児といって冷たい目でみられている子どもたちを、フィレンツェではルネサンスの時代にインノチェンティすなわち罪のない子らとよぶようになっていたのです」

桐生の名家の森家に生まれた五郎は、『自由学園』の創立者の羽仁もと子の娘、説子と結婚して羽仁姓を名乗った。

あの時代に婿となった羽仁五郎を私は〝勁い男〟だと思う。男のメンツとかにこだわらなかったのである。

（二〇二〇・三・二〇）

幸福の科学への長男の打撃本

かつての創価学会のように批判に対して過剰反応するのは、いま、幸福の科学である。

二〇一二年四月二九日号の『サンデー毎日』のコラムで、「霊言」と称して、さまざまな人間の言ったことを大川隆法著として出すのはおかしいと指摘したら、編集部にしつこく抗議してきて、結局、「幸福の科学グループ専務理事」という肩書の里村英一と対談することになった。

同誌の同年七月八日号に掲載されたそれは私の『ブラック国家ニッポンを撃つ』（七つ森書館）の「緊急対論五〇選・天の巻」に収録されている。

里村はＴＢＳに勤めていたらしいが、最後のヤリトリが傑作で、里村が、

「実はきょう、幸福の科学の入会申込書も持ってきました。佐高さん、口が悪くて後生危ないから、この入会申込書にサインをお願いします」

と言うので、私は、

「総裁になるなら考えてみますよ（笑）」

と皮肉った。すると、

「その発言が、非常に堕地獄的。佐高さん、これがファイナル・ジャッジメント（最後の審判）ですよ」

と真顔になって怒る。冗談は通じないのだ。

そんな彼らに強烈な打撃となっているであろう本が出た。隆法の長男の宏洋が書いた『幸福の科学との訣別』（文藝春秋）である。

小学校に入る前から宏洋は両親からではなく教団の職員に「進化論は悪魔の教えだ」とか、「ダーウィンは天性輪廻を否定したせいで、無間地獄に落ちている。自分ひとりしかいない空間に、何万年も閉じ込められているんだ」とか教えられて育った。

お布施だけで一年に三〇〇億円も集まるおカネは「世界に一つしかないんだ」と隆法が自慢するウン千万円の腕時計や、女性幹部の高い給料とアクセサリーに化ける。

信者は公称一一〇〇万人などと言っているが、熱心な信者は一万三〇〇〇人程度。それは選挙の際の得票数を見ればわかるだろう。

東大法学部卒の隆法は総理大臣になりたくて国政選挙に候補者を立てている。幸福実現党をつくる前は、自民党の三塚博や小池百合子、そして丸川珠代などを応援していた。

宏洋の本によれば、隆法の主張は「憲法九条の改正や核保有を政策に掲げるなど、相当な右寄り」で、原発についても推進派だが、かつては「原発は地球を滅ぼす」と、むしろ左寄りの主張をしていたという。

離婚した前夫人のきょう子とも、本当は別れたくなかった、とバラされている。

学歴がポイントになっている隆法は宏洋にも東大入学を強いた。しかし、宏洋は脱落し、お茶の水女子大を出た長女の咲也加が後継者候補になっているらしい。それと、麻布高校から東大法学部に入った三男の裕太である。

いずれにせよ、隆法はこの本を全面攻撃して、信者の覚醒を防いでいるという。霊言本の広告が新聞などに載っているのも気になる。

（二〇二〇・三・二七）

思郷通信

拙著『自民党と創価学会』の波紋は？

二〇一六年一月二七日に農協協会が開催した新春特別講演会で「安倍政権を批判する」という講演をした。テーマは向こうから頼まれたものだが、二月一〇日付の『農業協同組合新聞』にその要旨が載っている。

それによると、私はこんなことを話したらしい。

「自民党は安倍政権になって完全に変質した。本気で農協をつぶそうとしている。そのことをはっきり認識する必要がある。二〇一五年の知事選の〝佐賀の乱〟は新自由主義の安倍政権と対決した選挙だが、農協を中心とした勢力がどうして勝てたのかを思い出してほしい。惜しいところまでいったのが二〇一三年の参議院選挙の〝山形の乱〟だが、そのとき卑劣にも庄内の農協に公取委の強制捜査が入った。これからも安倍政権はそうした圧力をかけてくるだろう。それを跳ね返す気持ちでたたかわなければ農協および農民は勝てない」

「最後は政府・自民党が何とかしてくれるだろう」という片思いでは必ずつぶされると結んだ講演が終わり、パーティに移って、駆けつけた自民党の参議院議員、山田俊男さんと会った。ＪＡ全中の前専務理事である。

この会には全国の農協の組合長が参加するので彼も必ず顔を出すようにしているのだが、今年は演題が演題だから、来ない方がいいんじゃないかと忠告の電話を受けたけれども来たと言い、私と名刺交換した後、彼は、

「私の妻は酒田の新堀の出身なんですよ」

と打ち明けた。旧姓が杉山けい子さんである。彼自身は富山県の砺波平野で生まれた。私が評伝を書いた自民党民権派の元祖的存在、松村謙三と同郷になる。そんなことで話もはずんだが、敗戦直後に松村が農林大臣となり、のちに日本社会党の副委員長となる農政局長の和田博雄と組んでやった農地改革も、安倍政権は「戦後レジームからの脱却」とか言って否定しようとしている。自作農創設の農地改革を否定して戦前の寄生地主制に戻したいのだろうか。

ＴＰＰなど私に言わせれば「トータル・プア・プラン」であり、農業を滅ぼして全国民を貧しくするものである。ましてや、あの甘利明が推進したものがいいものであるはずがないだろう。

せっかく親交を結んだ彼が頭を抱えるような本をその後出した。『自民党と創価学会』（集英社新書）、である。

自民党が野党だった一九九四年に自民党は機関紙の『自由新報』で二〇回にわたって激しい創価学会・公明党批判を行った。それをまったく忘れたかのようにして、五年後に公明党と連立政権を組む。

これには、創価学会のボディガードだった山口組きっての武闘派、後藤組の後藤忠政組長と、創価学会・公明党の汚れ役をやっていた藤井富雄氏との「密会」がビデオに録られたという問題がからむのだが、いずれにせよ、これによって公明党は自民党に屈服して連立を組むのである。

そんな自公が野党共闘を野合呼ばわりしているのは、己れを知らないにも程があると言わなければならない。

（二〇一六・五・二七）

『雪の降る街を』の中田喜直と母

『雪の降る街を』の作曲家、中田喜直さんは、嫌煙権運動などに熱心で気難しい人と思われがちである。しかし、決してそんなことはなかった、と私の高校以来の親友、三浦光紀が振り返る。

三浦はキングレコードに入って、中田さんが中心の「ろばの会」の歌のレコーディングを担当した。ディレクターとしてである。

ある時、ユニークなミュージシャンの矢野顕子が『ちいさい秋みつけた』を原曲のおもかげをとどめないほどに大胆にアレンジした。

三浦がおそるおそる中田さんのところに持って行くと、聴いた後で、

「この娘は才能あるね」

と言ったという。ジャズピアニストになりたかった中田さんにとって矢野のアレンジは少しも遠くなかったのである。

細野晴臣、大滝詠一、松本隆というメンバーの「はっぴいえんど」の誕生にも中田さんが関わっている、と三浦はその秘密を明かす。立教に入った甥の佳彦を中田さんはかわいがっていたが、この甥が同じ立教の細野と知り合い、別のところで仲よくなっていた早大生の大滝を細野に紹介した。

牛山剛著『夏がくれば思い出す』(新潮社)によれば、「鶴岡音楽祭の基礎をつくり、中田と鶴岡を結びつけたのは、鶴岡市勝福寺に住んだ菅原喜兵衛である。市議もつとめた素封家の菅原は、無類の音楽好きだった」。

その菅原は一九九八年に九四歳で亡くなり、翌年の「鶴岡音楽祭」は菅原追悼の音楽祭になったという。中田さんで変わっているのは朝食が「日本茶と和菓子」であることだろう。中でも「北上京だんご本舗のずんだもち」が好物だった。仙台在住の詩人、星乃ミミナさんがいつもお土産にくれるこれを気に入っていた。

横浜のフェリス女学院で教えていた中田さんは授業前の五分間スピーチでこんなことを言っている。

「今日の新聞に、一二歳の少女がダンプカーにはねられて死亡した、という記事がでてましたね。少女をはねたダンプカーの運転手が悪い、と誰しも思うでしょう。確かにそうですが、いちばん悪いのは政治家です。知能の低い政治家が多いから交通事故がなくならない。運転資格を厳しくしたり、車の保険料を高くすると、車が売れなくなる。そこで自動車を売っている会社は、それに反対しますね。その反対に政治家が負けてしまうんです」

中田さんはマザコンといわれるほどに母親絶対だった。夫を早くに亡くし、男兄弟三人を女手ひとつで育てたのを見ていたからである。

吉田一穂に「母」という詩がある。

あゝ麗はしい距離（デスタンス）

つねに遠のいてゆく風景…

悲しみの彼方、母への捜り打つ夜半の最弱音（ピアニッシモ）

中田さんはこの詩を涙なしには読めなかっただろう。夏が来るたびに思い出していたのは多分、母だったはずである。

（二〇一八・二・二三）

『少年ジャンプ』元編集長は鶴岡の三瀬出身

学生時代、ノーベル物理学賞を受賞した朝永振一郎教授の講義を聴きに東京教育大（現筑波大）に行ったことがある。

マイクが不調で、朝永さんはONとOFFのスイッチをいじりながら、

「ONと書いてあるけど、逆から見るとNOになるんだよね」

と呟いた。落語好きの朝永さんはこういうことを言うんだと、講義の内容はまったく憶えていないのに（多分理解できなかっただろう）、そのことだけを五〇年以上経ったいまも記憶している。

その朝永さんが学長だった教育大の理学部に入ったのが、「荘内館寄宿舎」で一学年下だった後藤広喜君である。三瀬出身の彼は文系志向に変わり、文芸書の編集がしたくて集英社に入った。一九七〇年春である。しかし、配属されたのは、前の年の一〇月に週刊誌化されたばかりの『少年ジャンプ』編集部だった。

学生時代にサルトルを読み、鮎川信夫や吉本隆明の現代詩に親しんでいた彼には畑違いもいいところの部署である。

漫画雑誌としては後発だった『少年ジャンプ』は読者アンケートを定期的に行い、不人気な作家は連載を終了させるという方針を徹底して部数を伸ばす。そこからテーマとなったのが「友情」「努力」「勝利」だった。

この間、永井豪の『ハレンチ学園』、本宮ひろ志の『男一匹ガキ大将』、秋本治の『こちら葛飾区亀有公園前派出所』等の作品がヒットする。

さらに『キン肉マン』『キャプテン翼』『北斗の拳』等を得て、驚異の五〇〇万部を達成する。遂には六五三万部を達成するのだが、「この黄金期すべての時期を支えたのは鳥山明の『ドラゴンボール』だけである」と後藤君は『「少年ジャンプ」黄金のキセキ』（ホーム社発行、集英社発売）に書いている。

これは編集長だった彼が奇跡の時代を振り返った本だが、漫画に詳しくない私にはこんな場面がおもしろかった。

東映のヤクザ映画『仁義なき戦い』に血が逆流するほど興奮した後藤君は先輩に対しても強烈な反抗心をもっていた。それで、のちに先輩編集長の西村繁男さんから、

「あの頃のおまえと中野和雄（後藤君の同期生）には、本当に困ったよ。長野さん（西村さんのさらに先輩）にそのことを話したら、若い連中の生理みたいなものだから放っておけと言われた」

と思い出話をされたという。後藤君は、

「やっぱり長野さん、うまいことを言う」

と感心したとか。

その彼が編集長になって、副編集長との違いを知らされることになる。

「決定」と「責任」の違いである。

副編集長時代は、具申はするが、重要なことを決定するのはすべて編集長で、編集長が責任を取る。編集長になる前は、その重さがわかっていなかった。後藤君はカッコよく、アメリカの大統領が執務する机には「ここが最後で、後ろにはだれもいない」と書かれた、プレートが置いてあるという例を引いている。

（二〇一八・四・二七）

「筆文字工房」のひと、母を送る

私の姪の鈴木裕美の飲み友だち、というより〝飲み姉御〟の斎藤千加子さんは「筆文字工房」を営む書家である。

彼女は若き日に、前項で取り上げた『少年ジャンプ』の元編集長、後藤広喜君と一緒に集英社に勤めていた。ただ、役員室担当の秘書だったので、後藤君のことは「鶴岡の人がいる」と聞いただけだったとか。

その後いろいろあって彼女は酒田に帰って来る。娘を連れてである。そして筆で身を立てようと、娘を親に預けて二年間、東京の日本書道専門学校に入った。休みには帰るとはいえ、辛い日々だった。事情はかなり違うが、夭折の歌人、中城ふみ子が次のように詠んだ歌に共感する寂蓼が身を嚙む時だっただろう。

塩鮭をガスの炎に焼きてゐつ職なき東京けふも曇れり
わが足のかたちに脱ぎし靴下よ小田急の遠音しみじみと冷ゆ

私は放浪の俳人、尾崎放哉が好きで、鳥取の『新日本海新聞』に頼まれ、放哉の名句を百首選んだ。それを書家たちが書いたものが本になっている。その中に千加子さんの師の小林抱牛氏の「雀のあたたかさを握る　はなしてやる」もある。

彼女はいつか放哉の「人をそしる心をすて豆の皮むく」を書いていた。私にはちょっとドキッとする句だが、彼女の字はなかなかにのびやかである。

彼女は五年前に数え年一〇五歳の母、文子さんを送った。その弔辞が酒田市中央西町にある浄土真宗大谷派の徳念寺の「寺報」に載っている。

明治四五年生まれの文子さんは最晩年は寝たきりとなったが、最期まで意識ははっきりしていた。

上山で産声をあげた文子さんに千加子さんはこう語りかける。

「国鉄の駅長をしていた父親に伴われ、福島県浪江町、山形県向町や清川などで子供時代を過ごしたことを折に触れて語ってくれましたね。最終的に酒田に落ち着いたのは八歳頃だったとのこど。縁あって遊佐生まれの父さんに嫁ぎ、今みんながここにいます」

機械製作業を営んでいた夫を助け、夜勤の工員たちに食べてもらう漬物を大樽に漬け込んでいた母親の手はいつもゴツゴツしていた。しかし、小学校の授業参観には藍色の絣の着物で来てくれたのを千加子さんは思い出す。

父親が亡くなり、千加子さんの娘の梓さんが上京してからは、明治生まれの文子さんと昭和生まれの千加子さんのしばしばぶつかる生活が始まった。寝たきりになってからは大変なこともあったが、振り返ると、「一日一日が宝物のような日々」に変わっていったという。

「女の人は外出しないでなるべく家にいること」が持論の文子さんと、奔放な生き方をした俳人の鈴木真砂女に惹かれる千加子さんとは、あるいは両極端とも言えるかもしれない。しかし、そこにはやはり通い合うものがあるのである。中城ふみ子に「子が忘れゆきしピストル夜ふかきテーブルの上に母を狙へり」という歌がある。

（二〇一八・五・二五）

松田優作と真剣勝負をした村川透

楯岡（現村山市）出身の映画監督、村川透さんと私の縁を結んだのは上山は「古窯」の名物女将、佐藤洋詩恵さんである。ある時、山形から新幹線に乗ったら、女将と一緒になり、彼女が隣にいた村川夫人の喜代子さんを紹介してくれた。そして、村川さんに私がホストの『俳句界』（二〇一八年六月号）の対談に出てもらったのだが、村川さんは八〇歳を越えたとはとても思えないほどに若々しい。

それもそのはずで、村川さんは松田優作主演の映画『蘇える金狼』や『野獣死すべし』を監督した和製ハードボイルド・アクション映画の生みの親である。夫人の喜代子さんが振り返る。

「優作さん、年中、山形の家に来てましたよ。芋煮の時期になると、必ず来るわけですよ。付き人連れて、一週間くらい泊まって。『最も危険な遊戯』に始まる『遊戯』シリーズあたりからですね」

松田優作は魅力はあるが、難しい人でもあった。心に秘めた出自がある。

「その暗さが絶対あいつの力になっているはずなんです。暗いからこそ、明るさを求めて、ではなく、暗いなりの自分の存在、生きることと向き合っていた。だから、彼がどんなわがままを言っても、僕には聞けるんです」

こう語る村川さんは、だから、衝突する時は、

「お前それでいいのか」

「お前もいいのか」

と互いに腹の探り合いをしたという。剣豪小説で刀を差して向かい合って、抜くか抜くまいかの緊張の只

中にいるような感じである。

「そういう極限の中で出てきた芝居というのは通り一遍じゃないから凄いんです。人間の人生とは、本来そういうものですからね。そういう危険をはらんでいるのが凄くいいんですよね」

いつまでも年を取らない村川さんのフレッシュさの秘訣がうかがえる話だが、村川さんはまた、舘ひろしと柴田恭兵の『あぶない刑事』も世に送ってきた。

そんな村川さんの結婚相手の「条件」がおもしろい。三つあって、

① 山形県人であること

② 炊事洗濯など、家庭のことをしっかりできる人であること

③ お互いの両親や親戚づきあいが問題なくできる人であること、だった。

山本俊輔、佐藤洋笑著『映画監督・村川透』（DU BOOKS）で、村川さんは、

「女性は着飾っているから素顔（本性）がなかなかわからないよね。でも自分は映画女優などと接しているから、人間の本質をわかってるんです」

などと嘯いているが、喜代子夫人は山形が生んだ高名な鋳物作家、高橋敬典の一人娘である。

村川さんは地域のためになることをしたいと思って、生家の敷地内に、「ActザールM」という小さなホールを作った。

対談に出てもらった恩返しという意味もあって、二〇一八年五月二五日に私はそこで話をしたが、実は、早稲田を中退して映画界にとびこんだ私の甥の鈴木朋生も、村川さんに世話になったことがある。世間は案外狭いのである。

（二〇一八・六・二二）

横光利一と『庄内の女たち』

私は城山三郎や清水一行の書く経済小説の評論家としてスタートした。経済（企業）がわかり、小説にも親しんでいて、いわゆる経済小説を批評する評論家がほとんどいなかったからである。

その際、〝文学の神様〟と呼ばれた横光利一の文学論は大変に役に立った。

「漱石は金が欲しくて書いた作品が、今から思ふと一番良いと言ったといふ。このやうな逆説も口にすれば今なほ汚くなるのは止むを得ないが、日本文学もいよいよ金銭のことを書かねば近代小説とは言ひ難くなった」

横光は一九三五（昭和一〇）年に発表した『家族会議』（創元社）の「作者自身の言葉」にこう書いた。そして、「ヨーロッパの知性とは金銭を見詰めてしまった後の知性」であるのに、「日本の知識階級の知性は利息の計算を知らぬ知性である」と喝破した。株の世界を扱ったこの作品は、その意図に反して成功した試みとは言い難いが、確かに横光の指摘する通りだろう。

学者や芸術家のような、漱石の言う〝道楽的職業〟は別として、製造業にしてもサービス業にしても、ビジネスは普通、他人のためにモノを造ったり売ったりする「他人本位」の仕事である。そして否応なくビジネスマンは金銭を見詰めさせられる。しかし、横光の鋭い指摘の後も、日本の小説の世界には、作家が自分の私生活を描く私小説に代表されるように、「自己本位」の道楽的職業生活者しか登場しなかった。

城山が「輸出」で『文学界』新人賞を受け、経済小説のパイオニアとなるまで、およそ半世紀の時を経なければならなかったのである。

その後、私は経済小説の助けを借りながら、封建的な日本の企業社会を批判していくことになるが、大恩ある横光の夫人、千代が鶴岡の出身であることを知ったのはいつだったたか？　手もとには東北出版企画から出た横光の『夜の靴』がある。

『荘内日報』に連載された黒羽根洋司さんの労作『庄内の女たち』（ライトハウス　パブリケーション）によれば、千代は日向豊作、佐可恵の次女として鶴岡に生まれている。

鶴岡高等女学校（現鶴岡北高）を経て女子美術学校（現女子美術大学）に学び、そのころから、横光作品に惹かれ始めたという。

『夜の靴』に鶴岡に疎開していた横光と千代が敗戦の日の夕にかわした会話がある。

「どうするんでしょうね。これから。」

「どうするって、当分こうしているわけさ。」

「そんなことで良いのかしら。」

「暗くなって来たからそんなことを考えるんだよ。明日の朝になれば何もかも分る。まア、明日の朝まで辛抱する、ことだ。」

「あたし、帰りたい。」

そう言って、媒酌人の菊池寛に「こんな綺麗な人ってあるのだろうか」と思われた千代はまた泣いたとか。

ちなみに私の母の名前も千代である。一九四五年八月一五日にはまだ七ヵ月だった私を抱きながら、母は何を考えていたのだろう、と私はいま想いをめぐらせている。

（二〇一八・七・二七）

同級生の精神科医、猪俣好正のヒミツ

仙台に行くと、たいてい、猪俣（好正）は元気かなと思う。酒田東高の同期生で、東北大学医学部を卒業して精神科医になった彼に第一期の「佐高信 政治塾」の講師を頼んだ。二〇〇六年のことである。現在は山形県、岩手県、青森県でもやっているが、宮城県のそれが一番古く、今年で一五年目になる。

市民が参加するこの佐高塾では、これまで、菅原文太さんや寺島実郎さん、そして落合恵子さんなどに話してもらった。

猪俣は講義をこう始めている。

「猪俣です。酒田東高校で佐高君と同級生でした。先輩にはシャンソンの岸洋子さんがいます。今日は佐高君から『精神医療の現場から』というタイトルで話をしてくれといわれたんですが、彼の政治塾にしては『タイトルがそぐわないんじゃないか』といったんですが、彼からは『精神科医療は普段聞いていると凄く矛盾を抱えているようなので、何をしゃべってもいいから』と言われ、精神科医療がいまどういう問題を抱えているかをご紹介するのも意味のないことではないと思い、引き受けました」

この時の話がとてもわかりやすく、説得力があったので、本にまとめるようにすすめ、二〇〇八年に「宮城県立精神医療センター名誉院長」という肩書の彼の『こころに病をもつ人びとへ』（七つ森書館）が出た。

それで私は次のような推薦文を書いたのである。

「安心できるお医者さんというのがいる。高校以来の友人の猪俣君はそういう精神科医である。こころの病を解明しようとする真摯さと、わからないことはわからないとする謙虚さを併せ持つ彼に対する私の

信頼感は五〇年近く変わらない。彼の生き方がまさに表れているこの本を自信を持っておすすめする」

この欄で「『白衣のひと』の追悼集を『鳥海あざみ』と命名」と題して不惑を前に事故死した佐藤千代子さんのことを書いたが、この追悼集には猪俣も一文を寄せている。それが、私が脅迫したような書き出しなのである。

「『おい、お前の追悼文だけまだ届いていないぞ』、佐高から催促の電話を受けたのは、締切りを過ぎた一二月に入ってからのことだった」

こう始まった追悼文は中学時代の理科の授業で彼女の頭の良さに感動させられた記憶に移り、同窓会の二次会で、彼女がいきいきと仕事の話をしながら、「私に民間会社が勤まらないんなら、私を選んだ社長のみる目が無いことになるんだから仕方ないいんじゃない」と言って、そのたくましさに驚かされた場面へと発展する。そして私が「おい、猪俣、お前の所だけ追悼文集、空白にして出すからな」と電話口で無情に叫び、猪俣が「あいつは昔から強引だった。でも一人だけ高校の時から目醒めていたなあ」と思ったと結ばれるのである。私を〝脅迫者〟にした猪俣への仕返しに、やはり同級生で東北大に入った熊川聰士が思いを寄せて猪俣に仲介を頼んだひとが現猪俣夫人であることをバクロしておく。

（二〇一八・八・二四）

夭折の兄弟、高山樗牛と斎藤野の人

「蒸暑い都を去って、久し振りで故郷に帰って見た。固より書籍など携ふる必要がない。なぜなれば、故郷には智慧も要らぬ、名誉も要らぬ。つまり無智と、愚鈍と、無識と、無能とが尤も歓迎せらるる処である。如何なる人も、何年経っても洟垂らしである。腕白である。徒ら小僧である。だから故郷は変化と進歩を許さない。故郷はつまり退歩と無智と頑迷の巣窟である。故郷に居る人は何日でも愚者とならなければならぬ。是と同時に故郷に帰るには、先づ第一に昔の無学無能に立ち還らなければならぬ」

これが高山樗牛の弟、斎藤野の人（本名、信策）の「故郷の夢の記」だが、あまりと言えばあまりな故郷論だろう。

樗牛も野の人も三〇歳そこそこで亡くなった。それでいて現在にも名を残す文豪となったのだから大したものだが、故郷論では年輪を経た藤沢周平の次のそれの方が私には親しい。

『周平独言』（中公文庫）所収の「初冬の鶴岡」で藤沢はこう述懐している。

「いつもそうだが、郷里では私はふだんより心が傷みやすくなっている。人にやさしくし、喜びをあたえた記憶はなく、若さにまかせて、人を傷つけた記憶が、身をよじるような悔恨をともなって甦るからであろう。

郷里はつらい土地でもある」

ところで、『庄内人名辞典』を開くと、樗牛も野の人も、静岡県清水市の竜華寺に眠っている、とある。

「吾人は須らず現代を超越せざるべからず」と樗牛の言葉を刻んだ石碑は鶴岡公園に建っているが、樗牛こと林次郎は高山家に養子に入った。

その高山家を嗣いでいるのが、東京の「荘内館」で同室だったこともある光正である。

なぜ、樗牛と野の人の墓が竜華寺にあるのか？

その謎を解くべく、高山光正に突然電話をして経緯がわかった。

樗牛の崇拝者が清水に居り、富士山を望む場所で眠らせたいということで竜華寺に埋葬されたらしい。

ここには樗牛会館もあり、鶴岡より大事にされているとか。

さて、もう一つ、樗牛と石原莞爾の縁が阿部博行著『石原莞爾』（法政大学出版会）に出てくる。

石原が東条英機と対立して軍中央を追われた後、鶴岡に住んだことがあった。一九四二年秋である。そのために借りた家が樗牛の生家の斎藤家の離れだった。斎藤家は庄内藩のお茶番で茶畑が広がっていた、と阿部は記している。そして、隣り合わせに住んでいた高山孝さん（光正の母親）が『荘内日報』の一九九六年一月一一日号の「石原閣下と銻子夫人を偲んで」でこう語っているのである。

それによれば、毎日毎日大勢の客があり、団体客は玄関先に並んで、石原の挨拶を受けて帰った。石原は孝さんに、いまはみな帰農時代だから人を使ってはいけない、畑に出ましょうと勧め、天気のよい日は石原自らズボンに丸裸となって畑仕事に精を出した。ちなみに石原と樗牛には日蓮への傾倒という共通点がある。


（二〇一八・九・二八）

酒田が好きな富士眞奈美と吉行和子

筑紫哲也さんを第一回の対談相手として二〇〇五年に始まった『俳句界』の「佐高信の甘口でコンニチハ！」は二〇一八年の一〇月号だけ、富士眞奈美、吉行和子の両女優を迎えての座談会となった。共に初対面ではない。

「久しぶりですね」

と言ったら富士さんに、

「二回くらいお会いしたかな。一度は三笠会館で、『婦人公論』か何かで真面目な話をしたのよ。最初ご機嫌よく話されていたんですが、橋本龍太郎さんのことが話題に出たとき、私、好きでもないのに、『でもあの人、顔がいいから』と言ったら、佐高さんのご機嫌が突然悪くなっちゃったのよね。『あれが二枚目か』とか言って」

と返された。

記憶はないが、ここは「それは失礼致しました」と謝るしかない。

この二人に、亡くなった岸田今日子さんを加えて三人セットのイメージがある。そう言ったら、

「佐高さん、今日子ちゃんと仲良しだったでしょ？」

と富士さんが応じ、吉行さんにも、

「彼女から佐高さんの話は割に聞いてましたよ」

と続けられた。

とくに親しくしたというわけではないが、ＮＨＫの「週刊ブックレビュー」という番組で何度か一緒になり、いろいろ話をした。

ここでこの座談会を紹介しようと思ったのは、酒田が大好きな詩人で作家のねじめ正一さんの話題になった時、

「私も酒田は大好きですよ。ねじめご夫妻と、高橋春男ちゃんと、私とこの人とで一緒に行ったんです。酒田の俳人は仲良しがいますよ。斎藤愼爾さん」

と冨士さんが身を乗り出したからである。「この人」は言うまでもなく、冨士さんが「和子っぺ」と呼ぶ吉行さん。

次に、私が酒田に案内した菅原文太さんのことに触れたら、和子っぺは、

「私、菅原さんとベッドシーンをしました」

と告白し、冨士さんに、

「あなた、植木等さんともしたでしょ」

と言われて、

「した（笑い）。菅原さんとは東映の映画で、題名は忘れちゃったんですけど、やくざ物です」

とアッケラカンと答えている。この時、菅原さんからは、

「痩せてますね」

と言われたらしい。

「私、そういうヌードシーンなんて絶対できない」という冨士さんに、

「あなたは豊満だから、みんながワーッと見てくるという意識があるんじゃない？　私なんて、どうせちゃんと見ないから、と思うから平気なんですよ」

と吉行さんは述懐する。

吉行さんの好きな俳人、三橋鷹女の「白露や死んでゆく日も帯締めて」や「夏痩せて嫌ひなものは嫌ひなり」もいい。

それでは二人の最新著『おんなふたり奥の細道迷い道』（集英社インターナショナル）から、それぞれの句を引こう。

衾去が俳号の富士さんのは「Kといふ男許さず夏燃ゆる」、窓烏が俳号の吉行さんのそれは「冬に入る血管すべて身構える」である。

（二〇一八・一〇・二六）

筑紫哲也が愛した土門拳記念館

二〇〇八年一一月七日、筑紫哲也が永眠したその枕元で歌手の石川さゆりは「勘太郎月夜唄」を歌った。筑紫が生前、「最初に好きになった曲」にそれを挙げたのを聞いていたからである。

筑紫さんはしばしば、土門拳記念館はすばらしいと言っていた。息子がカメラマンになっているくらいだから、もちろん土門の写真も愛していたが、記念館のたたずまいをほめてもいた。それで、お礼を言ったら、

「え、サタカさん、酒田だっけ？　じゃあ、字とかつくところだよね」

などと冷やかす。自分こそ大分県日田の字のつくような所に生まれたくせに、そんな返しをするのである。

ともあれ、そんな皮肉を言われても私は嬉しかった。

山形の生んだ歌人、斎藤茂吉に「最上川逆白波のたつまでにふぶくゆふべとなりにけるかも」という歌がある。

土門の『風貌』の茂吉の写真は、七〇歳になんなんとする老爺が膝に両手をそろえて、ちょこんとすわっているものである。素足に履いた草履まで写している。このとき土門は四一歳。

初対面の土門が、「先生、ぼくは酒田です」

と呼びかけると、

「おお、それはおなつかしい。そうですか、そうですか」

と、まるで旧知の人に会ったように茂吉は喜んだという。

「先生の故郷は最上川上流の東村山で、ぼくは最上川河口の酒田港だった。それにしても、ぼくは長い間会いたい会いたいと思っていた人の病み衰えた姿を見て、何か胸が一杯で、撮影も思うに任せなかった。撮影は奥さんとの約束通り五分で打ち切ったが、茂吉先生は何か話したげで、仲々腰を上げられなかった。奥さんに促されて、ようやく寝床へ戻られたが、それでも応接間を出て行かれる時、駄々子のように柱につかまると、『土門さん、他にもう用事はございませんか』とぼくの顔を見られるのだった」

土門は、そのときのことをこう書いている。

茂吉は「勇猛」とか「猛烈」とかいう言葉を好み、論敵に対しては、まるで鉈で滅多切りにするような痛罵を浴びせた。

「そんな昔の、アララギ派の最も果敢な闘将だった茂吉先生を知る人は、今椅子にヨロヨロと腰を下して、ポカンと口をあけていられる姿を見たならば、誰しも胸がふさがるだろう」

土門はこうも記している。しかし、土門が「会いたい会いたい」と切望し、その「病み衰えた姿」に、胸ふさがる思いがしたのは、同郷の先輩というなつかしさゆえだけではなかった。土門がひたすら追い求めてきたリアリズムの、茂吉がまさに先駆者だったからだ。端的に言えば、リアリズムは下品と呼ばれることを恐れない。

前掲の茂吉の歌にちなんで、私は土門を「逆白汲のひと」と評したことがある。土門は運命に従うといった人ではなかった。むしろ、それに逆らい、抵抗して生きた人だった。

（二〇一八・一二・二八）

仙台の「阿部次郎記念館」を訪ねる

二〇一九年一月中旬に仙台に行き、タクシーに乗って青葉区のあたりを通ったら、「阿部次郎記念館」の案内板が目についた。そう言えば、父の兼太郎（号・茜舟）が松山町から「阿部次郎文化賞」をもらったなと思いながら、急遽、予定を変更して、白い塀に囲まれた記念館を訪ねた。土門拳の撮った阿部の写真に迎えられる。

阿部はロングセラーの『三太郎の日記』（角川書店）の著者だが、大変な写真嫌いだった。新聞社などが撮りに来ても玄関払いを食わせる。しかし、同郷の土門だけは特別で、「ぼくの顔の写真権は、すべて土門君にお譲りしましたから」と言っていたという。

土門は『風貌』（アルス社）に、阿部の還暦祝に写真を撮った時のことをこう書いている。

「先生は底翳を病んでいられた。しょっちゅう、目脂がたまり、眼をシバシバさせて、如何にもつらそうに見受けられた。ピカッと不意打ちに閃く閃光電球の光が、先生の病める眼に突き刺さるような気がして、痛々しかった。しかし、ぼくは責任上、撮れるだけ撮らなければならなかった。底翳というやつは、実に始末の悪い眼病で、その後先生から頂いたお便りにも、『眼は順調に悪くなっております』とあったように、悪くなり切るだけ悪くならなければ、治療の仕様がないのだった。だからぼくは気兼ねしながらも、撮れるだけ撮ったのだった」

帰りぎわ、『青春のエッセー阿部次郎記念賞入賞作品集』という題の冊子を頂戴した。高校生を対象に「エッセーの甲子園」を募集していたのである。東北大学文学部と阿部次郎記念館の発行になっている。

ところで、私の論壇デビューは筑摩書房発行の『展望』の一九六六年三月号「唐木順三氏をかこんで」に出た時で、大学の四年生だった。同席者に中央公論社に勤めていた菅原啓州さんや読売新聞の記者だった増永俊一さんがいる。

『現代史への試み』(筑摩書房)等の著書を持つ唐木に私は当時惹かれていたのだが、そこでこんな問いかけをした。

「大正教養派の人たちには、自己満足感がすごく強いと思いますね。母屋は驚くべき自己満足性で固められていて、別棟の教養の蔵にいろんなものをつめこんでおく。唐木さんのあげられた純粋な明治人―漱石や鷗外にはそういう驚くべき自己満足性はないでしょう」

それに対して唐木は、

「そういうことはいえるね。ぼくが教養派といった阿部次郎をふくめて、この人たち(安倍能成、和辻哲郎他)は強烈なエリート意識をもっている。だから、自分は自叙伝を書かなければならぬと覚悟して生きていたでしょう、きっと」

と答えている。

五〇年以上前の若さが言わせた性急な断罪だが、逆にそれ以降気になって阿部について書いた本を求めるようになった。たとえば新関岳雄著『光と影』(三省堂)や大平千枝子『父阿部次郎』(角川書店)、そして竹内洋著『教養派知識人の運命』(筑摩書房)である。

(二〇一九・二・二二)

萬国屋をリフレッシュする古窯の名物女将

角さんがもてあましたジャジャ馬娘の田中真紀子さんを酒田に連れて来た時、越山会の新年会や忘年会はあつみ温泉の萬国屋でやっていたと聞いた。新潟ではどこで開催しても公平を欠くので県境を越えてやってきたということだろう。

その萬国屋が上山市の古窯の傘下に入ってリフレッシュするという。

それで、古窯の名物女将、佐藤洋詩恵さんの俳句まじりの随想集『古窯曼陀羅』（深夜叢書社）を開いた。

版元の主、斎藤愼爾さんは酒田市飛島の出身。女将と同じく俳人でもある。

もう一人、山口県出身の女将と山形を結びつけたのが、東京女子大学での恩師、伊藤善市先生。

もちろん、古窯の息子のダンナを除いての話である。酒田出身の伊藤先生は、

「知恵出せ。欲出せ。元気出せ。エンドレスのがんばりを」

と折々に女将を励ましてくれたという。そして「トルコ地方で、紅花は間抜けな驢馬も見向きもしない花というのは、紅花に棘があって驢馬が食べられないからというのだよ。しかし、紅花は美しい、いい花だね。薬用効果もあるし、紅花染めもいいねえ。わが山形の県の花になってよかった。君も、遠くからやって来たのだから、紅花のように、早く山形の地に根づいて、花を咲かせるといいね。応援するよ。この次は家内を連れ、家族皆で泊まりに来るよ」

と言い、女将の差し出した楽焼に、

「紅花のふるさとしのぶアルカディア」

「薫風自南方」

と書いたとか。また、ある年のＪＴＢ（日本交通公社）の新春講演会のパーティで、役員の人たちを前に、

「この子は、いい子だよ。古窯のことよろしく頼みます」

と頭を下げたという。その時、女将は不惑の年齢を越えていた。そんな彼女を「この子」呼ばわりするのは実の母と伊藤先生しかいない。

「父との縁が薄かった私にとって父のような師でもあった。夜遅くまでお酒を楽しまれ、義父と肩を組んで館内を歩いてゆかれる後ろ姿を、神様からの贈り物と、神々しい思いで見守っていたことが、今更ながら、嬉しくありがたく思い出される」と女将は回想している。多分、ここを書く時に女将は涙で頬を濡らしていたに違いない。

笑えぬ笑い話もある。

伊藤先生の山形大学助教授時代の教え子が集う「一善会」が古窯で開かれた時、宴会場の看板に「一膳会」と書かれていた。女将が冷汗を流しながら、お詫びすると、

「みんなで楽しくお膳を囲む会だから、これでいいんだよ」

と先生は笑い、

「あまり神経を使わないように。少しやせたのではないか？　何といっても、体の健康が一番だから」

と逆に気遣ってくれた。

「観光は平和産業」という女将の、山口青邨師に学んだ句を一首だけ引こう。
○水無月の天に有情の雲流る
（二〇一九・三・二二）

斎藤茂吉と私は寝小便仲間

北杜夫著『茂吉晩年』（岩波現代文庫）に、北の日記が出てくる。

「父は十五歳まで寝小便をした。十五歳で東京に出て、心配したがキンチョウしていたのでしばらくせず、安心したところがしでしまって、こっそりとフトンを干した」

〇萬国の人来り見よ
雲晴るる蔵王の山のその全けきを

こう歌った斎藤茂吉は、つまり、かなりの年まで寝小便をしていたわけである。それを知って私は同郷の歌人にいっそうの親近感を抱いた。私も寝小便で悩んだ経験があるからである。

ここに二〇〇九年一〇月五日発行の酒田珠算連盟の機関誌に寄稿した一文がある。題して「ひそかなるエール」。それを要約して紹介しよう。

そろばんの思い出は、私の場合、分かち難く、寝小便癖と結びついている。夜尿症ともいうからある種の病気だったわけだが、中学生になっても蒲団を濡らしてしまうことがあった。もちろん、ごくごく稀にである。しかし、当人にとっては大問題で、ひそかなる悩みだった。

そして、中学一年の時の珠算の県大会の話になる。地区大会での成績がいいので、一年生ながら酒田一中の珠算チームの一員に選ばれた。大会は山形で開かれる。よほど理由をつけて辞退しようかと思った。父や母とも相談し、そのころ山形大学に入って寮生活をしていた長姉のところに泊まるということを考える。そして母が顧問の太田和子先生（現姓・金森）にそれを頼みに行った。

特別許されて私は姉の寮に泊まり、姉が寝ずの番をしてくれて、ぐっすり眠った私は読み上げ暗算の種目で三位となった。一位と二位は三年生である。翌年はその種目でガチガチの本命だった。周囲はみんな、そう見ていたが、当人は最悪のコンディションで、期待に応えるどころではなかった。まったく寝ていなかったからである。

太田先生は心配して、今年はどうするかと家まで来てくれたのだが、姉も卒業しており、寝小便しない日が続いていたので、みんなと一緒に宿屋に泊まることにした。しかし、山形に着いて宿屋に入り、床に就く段になって不安がこみあげてきた。もし、漏らしてしまったらどうしよう。そう考えたら寝られなくなってしまった。宿の部屋は二階だったが、やってしまったら飛び降り自殺するしかない、と思いつめていた。そして、結局、一睡もしないで朝を迎えたのである。結果は五位だったと思う。事情を知らない人たちからは不思議がられたが、ホッとしたのを憶えている。

一〇年前にあえて恥をさらすようなことを書いたのは、いま、それで悩んでいる子どもたちに、大きくなれば自然に治るから心配いらないよ、とエールを送りたいと思ったからだった。

寝小便仲間には勝新太郎さんなどもいる。この間一緒に台湾旅行をした田中秀征さんも同じ仲間だと聞いた。

ちなみに、酒田の割烹「治郎兵衛」の女将は、斎藤茂吉の姪である。

（二〇一九・九・二七）

トイレに入ると思い出す佐藤正能先生

今度出た『荘内館のあゆみ』は阿部博行君の手になる労作である。資料がなくて彼は執筆に苦労したらしい。副題が「佐藤正能監督辞任から合併まで」。

東京の荘内館が「やまがた育英会」の学生寮となるまでの歩みを綴ったものだが、佐藤正能先生が監督だった時に入館した私としては、荘内館イコール佐藤先生である。

先の東京オリンピックの前年に私は大学に入り、館生となった。そのころ郷里では水洗便所ではなく、入館してまもなくトイレで一緒になった監督先生に

「君、君、終わったらボタンを押して水を流すんだよ」

と注意された。

いまはそれも自動になったたが、だから私はトイレに入るたびに監督の注意を思い出していたものである。

もちろん、他のことでも監督をなつかしく思うのだが、しばらくはこのシーンばかり連想した。

「聞きたきは抱負にあらず国政の重きを畏る一言なるを」という監督の歌が伊藤肇著『一言よく人を生かす』（日本生産性本部）に引かれている。

ある縁で知り合った伊藤氏に、監督について書いた拙文を送ったところ、氏が先哲の言葉を編んで解説を加えたこの本に、前記の歌を引いたのである。これについての礼状がまた監督らしかった。

「なるほど拙詠が取り上げられておりますが、目次を見ると、なんとヘルマン・ヘッセと中江藤樹の間

ではありませんか。文字通り恐縮して、一寸法師のようになりゆくのを感じましたよ。まあ、せめて『扇谷正造』と『会津八一』の間か、『中村汀女』と『村上素道』の間あたりに据えてもらえば、こんなに恐縮しなくても済んだんですが。家内まで『ヘッセと藤樹の間よ』と弱い心臓に障るほどの驚きようでした。当然のことです。しかし、悪い事のためでなく、未知の方々に紹介され、何人かの共鳴、共感者を得ることになれば有難いことであり、従ってこの取次ぎ役をしてくださったあなたに感謝せねばならぬ筋合いのものと考えました」

学生を信頼し、寮監として「門限、寮則等は一切なし」を断行した先生は、本当の自由人だった。

「妻に客あればこっそりあんぱんを二つ買ひ来て昼餉過ごしけり」という歌を詠み、奥さん以外惚れたことも惚れられたこともない、という先生は、また「女性等が国籍不明の化粧するは一に男性の責めとこそ思へ」と叱る明治人でもあった。

『荘内館のあゆみ』には、二〇〇二年に入館した土田吉浩君が高校時代に岩波書店編集部編『大学活用法』(岩波ジュニア新書)を求め、その中の、私が書いた「三つの大学」を読んで、荘内館へ入ろうと思った、と書かれている。

「卒業証書という〝領収書〟をもらった」慶應、他大学の教授の講義を〝盗聴〟してつくりあげた「私の大学」、そして〝荘内館大学〟が私の「三つの大学」なのだが、荘内館は監督の存在あってはじめて荘内館だったという思いはいまも消えない。

(二〇一九・一〇・二五)

六〇年来の友と竹ノ塚のラーメン屋へ

深夜、一仕事を終えてぼんやりテレビを見ていたら、酒田出身の夫婦がやっているラーメン屋が出てきた。東京都足立区竹ノ塚三丁目にある「煮干し中華そば　山形屋」である。飛島産のトビウオの焼き干しなどを使っているらしい。これは三浦と一緒に行かなければとすぐに思った。名が光紀の三浦は高校以来の友人で、ほぼ六〇年のつきあいになる。

電話をしたら、もちろん即ＯＫで、某日、東武スカイツリーラインの竹ノ塚駅で待ち合わせをした。歩いて一〇分余りの店に着くと、高校生くらいの客がいた。店主の池田夫婦は共に八幡の出身。

すると三浦が、母も八幡だと言った。旧姓、荒生恒のお母さんは私の小学校時代の音楽の先生だったが、長命で、今年の五月に一〇八歳を目前にして亡くなった。

最期まで意識がはっきりしていたお母さんに、三浦が、

「何か心配事はあるか」

と尋ねたら、

「お前のことが心配だ」

と言われたという。

七〇歳を過ぎた息子を案じているんだからと、三浦は苦笑いしていた。

ベルウッドという知る人ぞ知るレーベルを始めた三浦は音楽界では玄人的なファンの多い存在である。

作家の重松清さんと対談した時、彼に、

「佐高さんは三蒲さんの親友なんですね」

と言われ、後で三人で食事をした。

重松さんは三浦がプロデュースしたレコードのジャケットをすべて持って現われ、三浦は、自分の持っていないものがある、と驚いていた。

洒落た服装をしていることもあって、三浦は一見軟派に見られ、硬派といわれる私とは共通点がないように思われがちだが、共にゴルフやマージャンをせず、車の免許も持っていない。三浦は『ストレンジ・デイズ』という雑誌で次のように言っているが、なるほどという感じである。

「ぼくは主流でも反主流でもない〝非主流〟っていう主義なんです。反主流は明日の主流かもしれないけど〝非主流〟は永遠に主流にはならないでしょ？　そういうものの方が絶対に面白いんですよ（笑）」

会っても、お互いにほとんど仕事の話はしない。先に共通点を挙げたが、やはり違ったところも多いから交友が続いているのだろう。この雑誌のインタビューで、三蒲がキングをやめて創ったベルウッドの名前の由来も私は初めて知った。

一九七〇年と翌年に中津川で全日本フォーク・ジャンボリーが開かれた。入社まもない三浦は、会社（キング）の反対を押し切って勝手に機材を持ち出し、それを録音する。クビを覚悟したその四八時間の実況盤が売れ、翌年には七二時間のをリリースした。

二〇〇〇年の夏には三浦は長野県の飯田に同行してくれた。高校時代の担任の萩元育夫先生の郷里の飯田での講演を頼まれ、新宿から高速バスに乗って四時間の道のりを一緒に行ってくれたのである。その夜、二人で先生の家に泊まった。

（二〇一九・一一・二二）

目黒の行人坂で羽黒の大進坊を想う

東京の世田谷から目黒通りを目黒駅に向かうと直前に権之助坂がある。ちょっと高台にある目黒駅へは結婚式場で知られる雅叙園からのヨリ急な行人坂を登る道もある。

その行人坂の登り口にこんな看板が立っている。

「行人坂の由来は大円寺にまつわるもので、一六二四年（寛永年間）このあたりに巣食う住民を苦しめている不良のやからを放逐するために、徳川家は奥州（湯殿山）から高僧上人『大海法師』を勧請して開山した。その後、不良のやからを一掃した功で、『大円寺』の寺号を与えられた。当時この寺に『行人』が多く住んでいたため、いつとはなしに江戸市中に通じるこの坂道は行人坂と呼ばれるようになった」

先日も私は荘内館で同室だった早坂真一君が主の羽黒の大進坊に泊まったが、いま私が住んでいる目黒と出羽三山はつながっているのだなと思い、この案内の文字を書きとめた。

大進坊で食べる料理は本当にうまい。特にゼンマイやアカコゴミ、そしてイタドリなどは忘れ難い。もちろん口細カレイ等も、こうして書いているだけで口の中につばがたまってくるほどである。

真一夫人のときさんが精進料理についてこう言っている。

「山伏は〝山に伏す〟と書くように、山に籠もり、山で採れたものを食べ、山で眠る修行を重ねる修験者のことです。彼らにとって、山の恵みは神様からの贈り物。精進料理は山のエネルギーをいただく料理なんです」

学生時代に同じ部屋で寝起きしたのをいいことに、私はまるで自分の家のように大進坊にさまざまな人を案内した。

たとえば筑紫哲也さんであり、法政大学現総長の田中優子さんであり、エッセイストの吉永みち子さん等である。

彼等の書いた色紙が大進坊に飾ってあるが、吉永さんの「遊びはもうひとつの人生である」が目にとまった。

書家だった私の父が書いた額なども飾ってもらっている。

ある部屋には山頭火の「夕立が洗っていった茄子をもぐ」という句を書いた色紙があった。

まもなく五〇歳になんなんとする息子の一広君の代になっているのだからと思いつつ、わがままを言っているが、フォークの小室等さんやシャープなお笑い芸人の松元ヒロさんまで、案内する人がみんな気に入って「また行きたい」と言うので、早坂夫妻に迷惑をかけてしまう。

この間は、精進料理プラス落語寄席のチラシを見て、なるほどと思った。立川談志の弟子の志らくの弟子の志らら とらく次が大進坊でやるこの落語寄席は一広君が企画したらしい。

何年か前、志らくと松元ヒロの二人会を観に行った。これも何年か続いているようだが、立川談志という人は、やはり、印象深い人だった。その談志と永六輔が太鼓判を捺したのが松元ヒロである。もちろん、ヒロは「桜を見る会」などには行かない。もし呼ばれたとしても行かないのである。そこがたけしなどと違う。

(二〇一九・一二・二七)

佐高信の眼

羽生三七という固有名詞

羽生三七という国会議員がいた。信州の下伊那自由青年連盟で活躍し、いわば羽生党を築き上げていた人である。

石川真澄の『ある社会主義者』（朝日新聞社）によれば、羽生は、

「七〇歳を過ぎたら引こう。議員三〇年以上は長すぎる」

と言って引退した。

その三〇年間、ほとんどすべてのエネルギーを国政の場での「質問」に注ぎ、地元の長野、とりわけ下伊那地方のために働くことはなかったというのが定説だとか。

地元の労働組合の幹部で親しくしていた人が、東京で初めて羽生と会った時のことをこう回想している。

「話が終わったあと、君、付き合うかい？　と言われる。はい、と答えてついて行ったら日比谷の映画館ですよ。確か、洋画だった。そこを出て、カキフライか何かをごちそうになって、では調べものがあるから、って帰られた。てっきり、こりゃ一杯やるんだと思っていたのに映画館だったんで驚いたなあ、あん時ゃ」

一九〇四年生まれの羽生は日本社会党の結党に加わり、第一回の参議院議員選挙から長野選挙区で五期トップ当選している。

「政治のひずみは弱者に表れる。そこに目を向けなければ真の政治とは言えない」が信念だった。

選挙運動に巧みだったとはとても思えない羽生が当選し続けたのは、支える人たちの力もさることなが

ら、羽生という固有名詞の素朴とも言える魅力がいぶし銀の光を放っていたからだろう。

「がんばれ社民党OB・OGの会」編の『伝えたいこの思い』に入れるための対談を土井たか子とした時、羽生の話をすると、土井は、九九年に羽生の後を継いだ村沢牧の葬式に行って、羽生夫人と会ったと語っていた。

ファンを持つ人は話し上手より聞き上手

土井でも村山富市でも、党派を越えたファンを持つ人は、話し上手というより聞き上手である。

そもそも言葉は身内や味方より、身外や敵に語りかけるためにある。相手を説得するには、その語るところをよく聞かなければならないのだが、それが苦手な人、もしくは苦手を自覚していない人の言葉は対手の胸に入っていかない。

たとえば「反動」という言葉を使ったら、それを知らない人や嫌がる人は、それだけで聞かなくなる。羽生のような社会党の〝財産〟といわれる人たちはおそらく、そういう言葉を使わないで語りかけたのではないか。この時の対談で土井は、初めから「ノー」と言うはずがないと見られている人が「イエス」と言っても何の衝撃もないが、あの人は「イエス」と言うに違いないと思われている人が「ノー」と言った時に非常にインパクトとか衝撃があると語っていた。

まさに土壇場の社民党の再生に際して、羽生のような財産に学ぶには、追いつめられて苦しんでいる者たちの声をあらためて聞くことから始める必要があると私は思う。話すより聞け、なのである。

（二〇一九・九・一八）

野党統一候補の基準は?

二〇一九年九月一日に行なわれた私の郷里の酒田市長選に、元市長で、その後、国政に転じ、落選した阿部寿一が、また立候補すると聞いて、「ちょっと待った」という一文を、『荘内日報』の連載「佐高信の思郷通信」に書いた。題して「〝昔の名前で出ています〟のカメレオン阿部」。

その一部を引くと——

「私が彼に一番不信感を抱くのは、野党を分断した希望の党の公認で衆議院議員選挙に出たことである。小池百合子の排除の論理でアッという間に人気がなくなったが、あの時、希望の党に走った人間を私はまったく評価しない。ましてや、彼はかつて自民党に公認を申請したこともある男である。保守と革新の間を右往左往する姿は、まさに小林旭の〝昔の名前で出ています〟を思い出させる」

「酒場の女の名前が変わるのはいい。しかし、政治に携わる者の立場がクルクル変わるのはいかがなものか。それではカメレオンだろう」

この阿部を野党が統一して推した(結果は落選)。しかし、阿部を含めて希望の党に参加した人は、小池の「安保体制に賛成しない方は、そもそも希望の党にアプライして来られないんじゃないかと思います」という発言を容認した。つまり、踏んではならない踏み絵を踏んでしまった人たちではないか。

統一のためには違いをのりこえる必要があることはわかる。しかし、そこに基準はないのか。

二〇一八年春の京都府知事選挙で私は市民派の福山和人の応援に行った。相手の前復興庁事務次官、西脇隆俊を推したのは自民党、公明党、立憲民主党、希望の党、民進党で、福山を支持したのは共産党だけ。

とりわけ、立憲民主党、希望、民進は国会では自公の安倍（晋三）政権と対決しながら、京都では手を組むというお粗末だった。

安倍政権に打撃を与える選択肢こそ重要

希望の前原誠司と立憲の福山哲郎が京都で、アンチ共産党で西脇を推したのだろう。中途半端な彼らが、安倍に打撃を与えるという選択肢を奪った。実際に京都在住の知人が腹立たしいとメールをよこしている。

社民党と自由党はこの時、自主投票だったが、京都では福山和人を応援し、酒田では自主にすべきではなかったか？

二〇一八年六月一一日深夜の「朝まで生テレビ」で立憲民主の幹事長の福山哲郎と同席したので、なぜ、自公の推す候補に相乗りしたのか、と尋ねた。すると、京都が選挙区の福山は「共産党と一緒にやったら、次に私は落ちますよ」と顔をしかめて言う。

「落ちてもいいじゃないか。あそこで野党候補が勝ってたら、安倍政権にとっては大打撃だったよ」と追撃すると、松下政経塾ならぬ松下未熟塾の卒業生である福山はぼうぜんとしていた。

そんなやり取りを見ていた自民党の山本一太が、「あの結果にはこちらも冷や汗が出ました」と声をかけてきたほど、京都府知事選で市民派候補は健闘したのである。チャンスは逃がすべからずだ。

（二〇一九・九・二五）

武谷三男の「特権と人権」論

二〇一九年九月一六日、両国の江戸東京博物館で行なわれた「今なぜ武谷三男なのか」という催しで、「現代社会と武谷思想」と題して講演した。

武谷三男史料研究会の主催だが、原子物理学者の武谷について話す役割が私にまわってきたのは、わが師の久野収が武谷の親友で、共に反ファシズムの『世界文化』に参加し、治安維持法違反で捕まっているからである。

私も若き日に武谷の『弁証法の諸問題』（理論社）や『安全性の考え方』（岩波新書）を読んだが、しょせんは門外漢。しかし、武谷の思想を武谷ファンのものだけにしないために、武谷の人柄についてのエピソードから入った。私と『ケンカの作法』（角川oneテーマ21）という共著を出している辛淑玉が晩年の武谷と親交があったらしい。彼女らしい率直さで、難解なところもある武谷理論を解きほぐしてもらったのだろう。

そんな日々の中で、三〇代の辛が八〇歳を過ぎていた武谷に「もっと若かったら、恋人になってあげたのに」と言った。すると武谷は、「いまじゃダメなのかい」と悲しい声をあげたという。思わず吹き出してしまうような話ではないか。

武谷思想で私が一番共鳴したのは、特権と人権は違うということだった。

私はそれを次のように翻訳して説明する。たとえばダイアナ妃がパパラッチに追いかけられてかわいそうだと言われた。しかし、ダイアナは人権を捨てて特権の世界に入ったのである。それを、彼女にも人権があると言ってしまっては、特権と人権の違いがわからなくなる。

「うそをつくな」と教育するのはよくない

また、武谷は、ある時、歴史家の羽仁五郎から、「うそをついてはいけない」という教育はよくないと言われ、前から疑問に思っていたことを一瞬にして解決してもらった気がした。

ちなみに、羽仁の名著『都市の論理』(勁草書房)は武谷の発案で生まれたものである。

それはともかく、「うそをつくな」という教育では、結局、善良な人間がバカをみる。「うそをつくな」という道徳教育では社会からうそをなくすことはできないばかりでなく、うそが横行するだけになる。

権力者は昔からうそをついてきた。それなのに民衆に「うそをつくな」という教育をすれば、民衆は「人間はうそをつかないものだ」と思い込み、どんなうそでも信じることになる。そして民衆は権力者に対してうそをつかないから、非常に支配しやすくなる。「うそをつくな」という教育は支配する者にのみ都合のよい教育なのだ。羽仁はこう主張し、支配される者のための教育は「うそを見破れ」という教育だと説いた。

ところで、峠三吉の有名な詩「ちちをかえせ」は武谷の『弁証法の諸問題』所収の「言葉」を読んで生まれたことはあまり知られていないだろう。

その経緯は私の『反―憲法改正論』(角川新書)の第一一章「吉永小百合の平和への祈りと行動」に書いたので参照してほしい。

「ちちをかえせ」の原型となる詩の題名は「生」だった。

(二〇一九・一〇・九)

土井たか子のオーラの源

二〇一九年九月二三日に神戸で開かれた「今こそ土井たか子さんの志と共に」という会で「よみがえる土井たか子　その人と思想」と題して講演した。

土井は一九二八年生まれだが、チェ・ゲバラ、渥美清、池田大作が同い年である。やはり同い年の暴れん坊、浜田幸一が土井びいきだったのは発見だった。

「女を党首にするほど社会党は落ちぶれていない」などとうそぶくアナクロの幹部もいる中で党首となった土井が国会で演説する姿もビデオで流されたが、自民席から激しいやじがとんでいた。

ハマコーはそれを必死に制止し、そのことが新聞にも取り上げられたという。

さっそうとした土井の放つオーラにハマコーも魅せられたのだろう。

土井の姉がわが師の久野収の教え子であり、私にとって土井は久野門下の姉弟子にも当たる。

土井の本筋の恩師は同志社大の憲法学者、田畑忍だった。田畑が代表委員を務めた憲法研究所が一九六五年に発行した『抵抗権』（法律文化社）という大部の本がある。当時、関西学院大の講師をしていた土井は三〇代で、憲法研究所の事務局を担当していた。

ラディカルな抵抗思想を田畑忍から継承

そして、土井多賀子名で「政治における信教の自由」という発表をしたり、「革命と平和革命について」という座談会に出席したりしている。

田畑の秘蔵っ子として土井は抵抗思想を受け継いでいるわけだが、田畑のそれは極めてラディカルであり、土井の「ダメなものはダメ」は田畑の頑固さにその源を発していると言ってもいい。

『抵抗権』の巻頭の「日本国憲法と抵抗権」で田畑は、次のように指摘する。

「人類のこれまでの歴史において未曽有というべき第九条の戦争・戦力放棄の永久平和主義の規定が、国家権力を大きく放棄することによって、右の如き政治的抵抗権の土台を強固にし、かつ抵抗権としての基本的人権一般を本格的なものに仕上げていることを率直に見直す必要がある。すなわちそれは、きわめて明らかに国民の強大なる戦争反対権または戦争拒否権を確立するものであって、アメリカ合衆国や西ドイツ等に認められている良心的戦争反対権の如き弱くかつ消極的な権利でないことは疑いがない」

良心的でなくとも兵役は拒否できるという意味で、私は良心的兵役拒否に賛成ではなかったが、すでに田畑はそう言っていたわけである。

神戸新聞論説副委員長の勝沼直子は一〇月二日付の同紙「日々小論」で、私が土井を「革新性と保守性、寛容さと頑固さを併せ持つ『含羞(がんしゅう)の人』と評した」と書いてくれている。まさに、わが意を得たりだが、私たちはなつかしさに浸るのではなく、土井の好んだロバート・フロストの詩を口ずさみながら、困難であっても前へ進まなければならない。

――森は美しく、暗くて深い。／だが私には約束の仕事がある。眠るまでにはまだ幾マイルか行かねばならぬ。

（二〇一九・一〇・一六）

電力総連の責任も重い

関西電力のとてつもない腐敗について、それを知った監査役が公表しなかったことが問題になった。しかし、チェックできなかった責任は労働組合の方が大きいだろう。会社と労組が一体となって原発マネーに侵されていたということである。

高浜町の元助役、森山栄治は汚れ役であり、原発推進の関電の手先だった。関電の社長や会長が森山に「ダンプカーを突っ込ませる」とか、「娘がいるだろう」とか脅されて、金品を拒否できなかったと笑止なことを言っているが、こうしたセリフを森山は、原発反対派にも使っていたことはまちがいないだろう。

田中稔著『忖度と腐敗』（第三書館）が指摘するように、かつて民主党にあった「原子力政策・立地政策プロジェクトチーム」の事務局長の藤原正司は関西電力労組出身で、電力総連政治委員会から二〇〇七年に三〇〇〇万円もの献金を受けていた。原発マネーにまみれていたのである。

だから藤原は二〇一一年の東日本大震災の後でも、

「半年もたてば、世論も変わるわ。日本は農林水産業だけでは食べていけない。震災後、原発を減らせという評論家が増えたが、産業・経済はどうなる。お父ちゃんの仕事がなくなってもええんだったら検討しましょうよ」

と居直った。その下品さと鈍感さにおいて、経営者たちと、瓜二つだろう。

宅急便を開発したヤマト運輸の小倉昌勇は、

「労働組合は企業の病気を知らせる神経だ」

と強調して組合幹部の声に耳を傾けたが、関電ではその神経がマヒしていた。そして労使が一緒になって汚濁していったのである。

「労使一体」での腐敗は東電やチッソでも

もちろん、マヒは関電にとどまらない。

脱原発などとんでもないと考える東京電力労組委員長（当時）の新井行夫は、一二年春、中部電力労組の大会であいさつし、「裏切った民主党議員には報いをこうむってもらう」と発言した。

つまり、脱原発の候補は推薦しない、としたわけである。

こうした脅しの手口は森山栄治と同じではないか。

水俣病を惹き起こしたチッソでは、一時、四〇〇〇人以上の人が働いていた。彼らは工場で日常的に化学物質を浴び、帰ってはメチル水銀に汚染された魚を食べていたにもかかわらず、水俣病をひとごととして、それを問題にした患者や漁民、そして市民と対立した。

しかし、長期的に見た場合、それが会社のためになるのか？　一九六二年の大争議を経て、そうではないと考えたチッソの非主流の労働組合は、翌年夏、工場内で行なわれていた水俣病に関する秘密ネコ実験の公表を会社に迫り、七〇年春には、「水俣病を自らの問題として取り組んでこなかったことを恥とする」という恥宣言を出して、加害企業の労組としては初めての八時間の公害反対ストを決行した。

関電労組を含む電力総連の幹部たちは果たして恥を知っているだろうか。それを捨て去った歴史を彼らは積み重ねてきた。

（二〇一九・一〇・二三）

いま、なぜ魯迅か

今度、書き下ろしで『いま、なぜ魯迅か』（集英社新書）を出した。

教育勅語的な儒教道徳を魯迅の思想で破砕しようと思ってである。第七章が「死の三島由紀夫と生の魯迅」で、一三章が「魯迅を匿った内山完造」。

上海で内山書店を始めた完造は、文字通り、命を懸けて魯迅をかくまったが、こんなエピソードがある。

蒋介石の国民政府と日本軍からねらわれていた魯迅に危険が迫り、書店の二階に部屋を用意したという知らせを受け取った魯迅の妻、許広平が心配そうに魯迅に

「老板（ラオパン）は日本人でしょう。本当に信用していいのでしょうか？」

と尋ねる、老板とはダンナとか主人という意味で、この場合は完造を指すが、すると魯迅は、笑みを浮かべながら、

「老板は私にいつもこう言います。友人を敵に売り渡さない人は日本人の中にもいます、と」

と答えた。しかし、残念ながら、完造のような日本人は数えるほどしかいなかった。

完造は、魯迅の死後、日本軍に捕えられて拷問を受けた許広平の救出にも動いている。

ところで、東京は神田にある内山書店は、完造の弟の嘉吉が創業した。もちろん、完造の影響を受けてである。

その嘉吉が、魯迅が力を入れていた木刻運動の手助けをした。版画と言わずに魯迅は木刻と呼んだが、嘉吉が成城学園で美術を教えていたことを知った魯迅は上海の美術学生の指導をしてほしいと頼む。

「とんでもない。私は専門の版画家でもないし、魯迅さんのように各国の有名な作品、それもオリジナルを見ていないから」

と嘉吉は懸命に断ったが、手ほどきだけでいいからと魯迅に言われて、一三人の青年に六日間の講習をすることになった。何とその通訳をすべて魯迅がやったという。よほど、木刻、すなわち版画が中国にとって必要だと思ったのだろう。

なぜ、魯迅は木刻を普及させようとしたのか？

嘉吉は、木刻のルーツは中国であり、いわば里帰りのそれを受け入れる下地は十分にあると考えたのではないかと推測する。

また、当時の中国の民衆の大部分が文盲であり、識字の助けになると考えた。

さらに魯迅はソ連の版画に接して「革命時には、版画の用途は最も広く、どんなに忙しい時でも、わずかな時間で作れる」ことを発見したのだと指摘している。

しかし、木刻の普及と魯迅の文筆活動が有機的に結びついていることを当局は見逃さなかった。一三人の多くがレジスタンスの過程で亡くなったりしている。

魯迅は死の一〇日ほど前の一九三六年一〇月八日に上海で開かれた「全国木刻流動展覧会」にも出かけた。

この展覧会には一週間に八万人もの観衆が詰めかけ、沈滞していた中国の木刻界に空前の反響を呼び起こした。病を押して参観に行った魯迅は、その場にいた木刻家や観衆と数時間も話し合ったという。

（二〇一九・一〇・三〇）

末弘厳太郎の「嘘の効用」

ロングセラーとなっている末弘厳太郎『役人学三則』（岩波現代文庫）の編者が私であることに首をかしげる人も多いだろう。ちょうど二〇〇〇年に文庫化されたこの本の解説をなぜ私が書いたのか、その事情も明確には思い出せない。多分、変わったアノ編集者が、東京帝国大学教授で、戦後、中央労働委員会の会長をつとめた末弘のこの本の編集と解説を私に頼んだのに違いない。

もちろん私は生前の末弘を知らないが、学徒出陣で戦争に行き、戦後、東大法学部に戻って末弘の講義を聞いた古舘六郎（太平洋興発副社長を最後に退社、曹人という号をもつ俳人としても知られる）が、末弘は学生が教室でノートをとると怒った、と語るのを聞いて、なるほどと思った。

「いま、自分が言っていることを、ここで理解してもらいたいんだ。ノートなんかとるな、この場で理解すればいいんだ」

真剣勝負ともいうべきこの姿勢に、古舘は深くうたれた。

「これが教育ですよね。私は先生にほれましたよ。いま、ここでわかってくれという教育ですね」

往時をなつかしむ古舘の口調は熱っぽかった。

「法」が厳重になると国民は嘘つきになる

一九三五年にリベラルな末弘を嫌って羽織袴（はかま）の右翼が東大のいちょう並木のところに押しかけて来て、法学部長だった末弘に辞職勧告をする騒ぎもあったらしい。

『嘘の効用』で末弘は「暴政は人を皮肉にする」と指摘し、こう解説する。

「『法』をもってすれば何事をも命じうる、風俗、道徳までをも改革しうるという考えは、為政者のとかく抱きやすい思想です。しかし『人間』は彼らの考えるほど、我慢強く、かつ従順なものではありません。『人間』のできることにはだいたい限りがあります。『法』が合理的な根拠なしにその限度を越えた要求をしても、人は決してやすやすとそれに服従するものではありません。もしもその人が、意思の強固な正直者であれば『死』を賭しても『法』と戦います。またもし、その人が利口者であれば——これが多数の例だが——必ず『嘘』に救いを求めます。そうして『法』の適用を避けます。ですから、『法』がむやみと厳重であればあるほど、国民は嘘つきになります。卑屈になります」

末弘の「嘘」論はそして次のように続く。

「子供に『嘘つき』の多いのは親の頑迷な証拠です。国民に『嘘つき』の多いのは、国法の社会事情に適合しない証拠です。その際、親および国家の採るべき態度はみずから反省することでなければなりません。また裁判官のこの際採るべき態度は、むしろ法を改正すべき時がきたのだということを自覚して、いよいよその改正全きを告げるまでは『見て見ぬふり』をし、『嘘』を『嘘』として許容することでなければなりません」

カビ臭さとは無縁の末弘の講義は平易な語り口で鋭く深奥をえぐり、ユーモアにあふれて、一度それに触れた者を魅了してやまなかったという。

（二〇一九・一一・六）

新〝原発文化人〟佐藤優

関西電力には名誉会長になっても代表権を手放さなかったドンの芦原義重と、その芦原のお庭番の副社長、内藤千百里がいた。

二〇一八年に九四歳で亡くなった内藤が一四年七月二八日付の『朝日新聞』で「関電の裏面史」を語り、一九七二年から一八年間、歴代首相に、盆暮れの二回、一〇〇〇万円ずつ献金してきたと告白したが、私はこれは表の額にすぎないだろうと思う。

なぜなら、拙著『原発文化人50人斬り』（光文社知恵の森文庫）で明らかにしたように、選挙応援の額でさえケタ違いだからである。

アントニオ猪木の秘書だった佐藤久美子の『議員秘書、捨身の告白』（講談社）によれば、青森県知事選の応援で、最初、原発一時凍結派の候補から一五〇万円の謝礼で来てほしいと頼まれた猪木は、その候補の応援に行くつもりだったが、原発の推進派のバックにいた電気事業連合会（電事連）から一億円を提示され、あわてて一五〇万円を返して、そちらに乗り換えたという。

まさに札束で頬をたたくこうしたやり方は、高木仁三郎のような筋金入りの反対派にさえ試みられた。

高木の『市民科学者として生きる』（岩波新書）に、ある原子力情報誌の編集長から、三億円を用意してもらったので、エネルギー政策の研究会を主宰してほしいとの誘いがあったと書かれている。三億円について、高木は「現在だったら一〇〇億円くらいに相当しようか」と注釈をつけているが、猪木の一億円も今では何倍かする必要があるだろう。

3・11の事故の後に原発の必要性を強調

原発文化人として私はそこで、ビートたけし、吉本隆明、堺屋太一、弘兼憲史らを挙げたが、一一年三月一一日の東電福島原発の大事故の後に、なお原発必要の太鼓をたたいた罪深い文化人が二人いる。一人は元東大教授の山内昌之で、もう一人が作家と称する佐藤優である。

マルクスについて知ったかぶりのことを言うので、だまされる人間も多い（特に革新を名乗る者に）佐藤は、一六年三月二日付けの『東奥日報』の電事連の「全面広告」に出て、「エネルギー安全保障の観点から原子力発電の必要性を強調」している。メデタク〝原発文化人〟の仲間入りをしたわけである。

佐藤は竹中平蔵との共著『竹中先生、これからの「世界経済」について本音を話していいですか？』（ワニブックス）で、大宅壮一ノンフィクション賞の選考委員として、竹中を批判した佐々木実著『市場と権力』（講談社）が受賞作となったことに苦しい言い訳をし、こう弁解している。

竹中は「私が選考に関わっていることを知っているにもかかわらず、『よくもこんな本に賞を出しやがって。もうお前とは会わない』などと怒ったりしないし、そんな雰囲気をみじんも感じさせないのは立派だ」と持ち上げ、さらに「やはり竹中さんは度量が広いし、国際基準からいっても彼はインテリなのである」と付け加えている。佐藤優の正体見たりで、竹中と同じく佐藤もペケである。

（二〇一九・一一・一三）

勲章の季節に思う

私は勲章をもらう人間を評価しない。それまで悪い印象を持っていなかった人でも、勲章を受けたと知ると、その程度の人だったかとガッカリする。旧社会党の関係では、それで岩垂寿喜男と國弘正雄に失望した。彼らは拒否するだろうと思っていたからである。

岩垂は歴代の社会党委員長の側近で〝ザ・側近〟とか呼ばれたが、ずいぶん前に、あるテレビの討論番組で同席した。

小泉純一郎が間違って首相になる前で、岩垂は同じ選挙区の小泉に

「社会党は安保反対と言っているけれども、アメリカが安保をやめましょうと言ったら、どうするのか」

とヤユされ、即座に反論できずモゴモゴしていた。

たまりかねて私は横から、

「やめましょうと言われたら、困るのは自民党でしょう。岩垂さん、すぐにそう反論しなさいよ」

と口を挟んだが、岩垂は論客といわれているのではなかったか。

私も若き日に日教組の一員だったからよく分かるが、岩垂を含めて組合出身の議員に、まったく立場の違う相手の言い分を聞き、その弱点をとらえて、しなやかに反論するといった経験を積んできた者はほとんどいない。組合の会議というのは、だいたいが「異議なし」といって気勢を上げるための景気づけの集まりであり、反対する者は「分派」として排除してしまう傾向がある。いわば、うなずき屋を前にして〝気分よく〟大声を出してきただけだから反対する者を説得する技と力はもっていないのである。

保守ながら勲章を拒否し続けた伊東正義

勲章の話から横道にそれてしまったが、保守の人間でも勲章を断った人間がいる。たとえば、総理大臣の座を蹴った男として有名な元外務大臣の伊東正義である。

大平正芳の盟友だった伊東が官房長官として初入閣した時、タキシードの用意がなかった。それまではまったく必要がなかったのである。それで高島屋から借りることにしたのだが、伊東は何と秘書に、

「この洋服はチンドン屋の洋服だ。キャバレーの呼び込みはみんなこの洋服を着ているぜ」

と毒づいたという。

また、三越で急いでつくってもらった燕尾服も一度着たかどうか。最後には、

「こんなものを着るんだったら、宮中晩餐会に行かない」

と言い出した。

「人間に一等から何等まであるなんておかしい」

と勲章を拒否し通した伊東の遺志を尊重して、夫人は伊東の死後も、

「政治家として名誉とかにこだわらない人で、生前もさまざまな勲章はもらおうとしませんでした。死去後、（衆議院事務局から）打診がありましたが、本人の気持ちを尊重してご辞退申し上げました」

と語っている。河上肇の『貧乏物語』（岩波文庫）を愛読し、河上の墓参もした伊東は「反骨」と「清貧」が原点だった。それを貫き通した伊東に、岩垂をはじめ勲章をもらった者は負けている。恥ずかしいと思ってほしい。

（二〇一九・一一・二〇）

バカな大将、敵より怖い

七ヵ月余りぶりにTBSの「サンデーモーニング」に出て「バカな大将、敵より怖い」と言ったが、それが波紋を呼んでいるらしい。例によってネトウヨ的反発も多いのだろう。

北洋銀行の社長、会長を務め、二〇一二年に亡くなった武井正直の講演集のタイトルが『バカな大将、敵より怖い』（北海道新聞社）である。バブルに乗っかった融資を断固としてやらせなかった武井は「異常なことは長続きしない」が口癖だった。また、新入社員の入行式などで、

「法律、人倫にもとる命令は、たとえ上司でも、従わなくて結構だ」

と言い切った。

二〇〇〇年の連合北海道新年交礼会に出た時には、経済界を代表してあいさつし、

「リストラをする経営者には『あなたこそ辞めた方がいい』と言ってやりなさい」

と発言して拍手を浴びている。

あるいは、多くの経営者がついていけないのは、次の勲章拒否宣言かもしれない。

「あんなもの欲しがるようになると、人間は堕落する」

大体、「おまえは勲何等だ」なんて格付けするのは失敬千万だと怒っていた。

だから、同じく勲章お断りの城山三郎と武井は気が合った。武井が上京した時、私も誘ってもらって三人で過ごした夕が忘れられない。

北海道拓殖銀行を北洋銀行が救済合併しなければならなくなって、道内のエリート集団の拓銀の機能を

第二地方銀行の北洋が担えるのかといった論調が支配するや、武井は、

「拓銀は無能だからつぶれた」

と切り捨てた。北洋の行員を萎縮させないためだったが、拓銀の行員からは反発を買った。その冷たい視線を受けながら、武井は、

「挫折を知らないエリートは頼りにならんが、皆さんは本当の挫折を知った。大いに期待しとるよ」

と語りかけた。これには拓銀の行員も「憎めない人だ」と好感を持ったという。

「人生の決断としては、終戦の時、中国で馬賊になるかと真剣に考えた時の方が厳しかった。今回は命まで取られるわけではなかったしね。本当の闘いは、拓銀債権を引き継いでから始まったよ」

その時のことを武井はこう述懐していた。

めったに涙を見せない武井が、元コープさっぽろ理事長の内舘晟の葬儀の席では人目をはばからず泣いたという。

銀行の経営者ながら武井は生協のファンで、こう言っていた。

「資本主義の権化のような私がこんなことを言うと不思議がられるかもしれないが、生協は世の中が忘れかけている相互扶助を大切にしているのがいい。私は、週に一回利用している」

私が特に銀行経営者を激しく指弾していた時、逆に求めて私と会うことを望んだ武井は、開口一番、

「佐高さんは魯迅が好きなんですね。私もですよ」

と告白した。


（二〇一九・一二・四）

故郷は、軍隊を持たない

エリッヒ・レマルク原作、ルイス・マイルストーン監督の映画『西部戦線異状なし』の主演俳優リュー・エアーズは〝変身〟して、ほんものの反戦派になり、それ以来、俳優をやめて、無名人として地方に暮らす人間になった。

「なにが国家だい、憲兵のよ、警察のよ、税金のよ、それが貴様たちの言う国家だ」

「国家というものと故郷というものは、こりゃ同じもんじゃねえ」

「だがそいつは両方とも一つものにくっついているからなあ。国家のねえ故郷というものは世の中にありゃしねえ」

「それはそうだ。だが考えてみねえ、おれたちはみんな貧乏人ばかりだ。それからフランスだって大がいの人間は労働者や、さもなけりゃ下っぱの勤め人だ。それにどうしてフランスの錠前屋や靴屋がおれたちに向って手向いしてくると思うかい。そんなわけはありゃしねえよ。そいつはみんな政府のやることだ。おれはここへくるまでにフランス人なんか一度だって見たことがねえ。大がいのフランス人だっておれたちと同じこったろう。そいつらだっておれたちと同じように何がなんだかさっぱり知りゃしねえんだ。要するに無我夢中で戦争に引っ張り出されたのよ」

「そんなら一体どうして戦争なんてものがあるんだ」

「なんでもこれは戦争で得をする奴らがいるに違えねえな」

蝶々をとろうとして手を伸ばし、流れ弾丸(だま)に当たって主人公の少年兵が死んだ日も、前線からの司令部への報告は「西部戦線異状なし、報告すべき件なし」であったという結末に象徴される戦争の非情さとともに、劇中で交わされる右のようなセリフはエアーズの生ま身に食い入って彼を〝変身〟させる大きな要素となったに違いない。

国家と故郷を地続きと錯覚させたい政府

国家と故郷は同じものではないのに、国家はそれを地続きのものであるように思わせようとする。

しかし、たとえば、現在の日本では、「アンダーコントロール」などと言った安倍晋三をフクシマの人間は許すことができないだろう。私もＴＰＰで農業県の山形を切り捨てようとする安倍を許すことができない。

だから、先日、故郷で講演した時も、酒田および山形を愛するが故に安倍を憎むと言った。

故郷と国家を政府は「一つものにくっついている」と錯覚させようとするが、国家は軍隊を持っているけれども、故郷は軍隊を持っていないのである。

上野千鶴子によれば、米国人のジョークに「赤信号で通るクルマがまったくなくても、信号が変わるまでじっと待ってるヤツがいるのを知ってるかい？　日本人とドイツ人さ」というのがあるという。

そして上野は、両者はイヤなところが似ているとして、国民の画一主義、おカミに弱い権威主義と規則順守の保守性、外国人差別の排他性とヨソの世界を知らない田舎者根性を挙げている。一九九二年に書いた「似た者どうし」でである。

（二〇一九・一二・一一）

女性という〝階級〟

周恩来とフルシチョフの「出身階級」論争が忘れられない。

中国とソ連が路線論争で決裂した後、周がモスクワを訪れた。

そのレセプションの席上、満座の中で周に恥をかかせようと思ったフルシチョフは、

「彼も私も現在はコミュニストだが、根本的な違いが一つだけある。私は労働者の息子でプロレタリアートだが、彼は大地主の家に育った貴族である」

と言った。

それに対して周は顔色ひとつ変えずに立ち上がり、こう言い返したという。

「お話のように、確かに私は大地主の出身で、かつては貴族でした。彼のように労働者階級の出身ではありません。しかし、彼と私には一つだけ共通点があります。それはフルシチョフ氏も私も、自分の出身階級を裏切ったということであります」

このスピーチには、満場、息をのんで声も出なかったとか。

差別という意味では、女性差別もある種の〝階級差別〟なのではないか。私は女性という〝階級〟があるとも言えるように思う。

その「出身階級」を裏切って勇ましいことを大声で叫んでいるのが櫻井よしこである。

普通の人々の声を聞き政治に新しい波を

選挙に負けて追いつめられて、土井たか子が社会党の委員長になった時、土井応援団の一人だった樋口恵子がこんな耳の痛いことを言っている。

「社会党は今回負けてよかったかもしれない。なんのかんの言ったって男性中心の政党、その点では自民党にけっしてひけをとらない男性中心の社会党がですね、選挙にあれだけ負けでもしなければ、女の党首をつくりませんでしたよ。負けたことで今までのあり方を反省させ、女性をふくめて一般の市民、普通の人々の声を聞こうとする態度をつくらせ、そして、政治に新しい、本当に新しい波をつくることができるのだと思います」

しかし、その後、土井が党首の座を去って、〝新しい波〟はどこかへ行ってしまった。

残念ながら、この党は女性という階級が差別を受けていることに鈍感である。

一度は土井委員長を誕生させて躍進したのに、元のもくあみ。

手だれの作家は、自分の文章が活字になった時、どう見えるかを考えて文章を書く。漢字が多いと、紙面が黒く見えるので、かなをできるだけ使うとかして、どう読まれるかまで心を配るのである。

労働組合の大会などでも、まだまだ会場は黒ずくめで息が詰まってしまう。

背広にネクタイは資本主義の印袢纏（しるしばんてん）ではないかと皮肉ったのは考現学の今和次郎だった。

土井を政治の素人呼ばわりする人もいたが、土井はこう言っている。

「政治のプロと言われている人たちのしていることは、国民の常識から遠くかけ離れてしまって、そのことが問題なんじゃないですか」

（二〇一九・一二・一八）

晴れも曇りも雨風も

「あけましておめでとうございます」とは言いたくない世の中だからと、賀状をやめて二〇年近くになる。

それでも届く賀状には、清水比庵の「わが窓の晴れも曇りも雨風もまた一年のはじめなりける」という歌を引いて返した。この歌は書家の父がよく書く比庵の歌集をのぞいて知った。

賀状に俳句や短歌を引き気持ちを伝える

かつては賀状に句や歌を引くのを常とした。「年の夜やもの枯れやまぬ風の音」という渡辺水巴の句を引いたこともある。賀状にはふさわしくないかもしれないが、どうしてもそんな気持ちだったからである。

前田純孝の「いくとせの前の落葉の上にまた落葉かさなり落葉かさなる」という歌を引いたのはいつのことだったか？　啄木と並び称されたこの薄幸の歌人は早坂暁の『夢千代日記』で取り上げられて新たな光を浴びた。薄幸と言えば、満天下（というのはオーバーか）に恥をさらしたことがある。

ある年、「薄倖の字の美しき賀状かな」という句を引き、万太郎と書いた。伊藤肇という人物評論家がそう書いていたし、私も久保田万太郎らしい句だなと思って、疑いもしなかった。

ところが、これは万太郎の句ではなかったのである。友人に五十嵐播水という人の句だと知らされて、青くなった。まさに五十嵐さん、ゴメンナサイ。いや、万太郎さん、ゴメンナサイでもあるし、賀状を受け取った人すべてにおわびしなければならない。

「分別の四十に遠き三十九」という川柳を引いたこともある。当然、三九の年で、あれから三五年余り経った。それでも、分別にはまだまだ遠い。

「幾人か敵あるもよし鳥かぶと」という能村登四郎の句を見つけた時は、これだと思った。いま、これを引く気負いはない。勝手に改作すれば「幾人か味方あるもよし鳥かぶと」である。

賀状の交換で勝手に決めていたのは、社用の賀状でよこした人には、かなり親しくても返さないということだった。会社の誰々と私はつきあっているわけではなく、編集者でも個人とつきあっているのだと思っていたからである。

多分、最後の賀状に引いたのが藤沢周平の「故郷には母古雛を祭るらむ」だった。

国民的詩の七五調が体制側を支えている

しかし、いずれにせよ、次のように指摘する詩人の金時鐘には叱られるに違いない。

「国民的詩と言われる俳句・短歌をやっている人たちは、美しいものだとか、これはいいと思っているものに関して共通して同じものを感じ取っている。その人たちが日本の詩の絶対的多数を占めているということは、政権与党の絶対多数と重なり合っているということです。いながらにして体制側なんですね」

七五調が自民党支配を支えているというこの批判は耳に痛いが、それを受けとめつつ、私は今度、『幹事長　二階俊博の暗闘』（河出書房新社）を出した。

反省などとは無縁の安倍晋三をはじめ、「桜を見る会」疑惑等にも居直りを繰り返す彼らに必殺のペンを振り下ろしたつもりだが、武器として読んでもらえば幸いである。

（二〇二〇・二・五）

渥美清と寅さん

寅さんこと渥美清は一九二八年生まれだった。土井たか子と同い年である。

『男はつらいよ』のフーテンの寅シリーズで、私が一番好きなのはキャバレーまわりの歌手として浅丘ルリ子扮(ふん)するリリーが登場する『寅次郎相合い傘』。突然蒸発したサラリーマンが北海道で寅やリリーと一緒に旅をすることになる。心配していた留守宅に連絡があって、その夫人が寅の叔父さんがやっている柴又のだんご屋を訪ねて来た。お礼にメロンを持ってである。

ところが寅はテキヤだから、居場所がわからない。焦れた夫人が、まったく頭になくて、

「まさか、道端で物を売ってるわけじゃないんでしょう」

と尋ねるが、まさにその「まさか」なのだった。

この前段があってメロン事件が起こる。寅が出かけた時に、リリーを含めてメロンを食べようという話になり、そこにいる人数で分けたのだが、寅のことを忘れてしまった。そこへ、寅が帰って来て、一騒動である。

しつこくからむ寅に叔父さんが怒り、おカネをたたきつけて、一個丸かじりせいと言う。忘れられない場面なのだが、渥美清がどこかで語っているのを読んで、私はちょっとうなってしまった。

渥美は観客の反応を見るため、わからないようにして幾つかの映画館をまわるらしい。『寅次郎相合い傘』の時もそうだった。それでメロン事件について、銀座と浅草の観客では反応が違うことに気がついた。

銀座の客は、寅の子どもっぽさ、みみっちさに大笑いする。

ところが、浅草の客は笑わないのである。寅を勘定に入れないのはケシカランということなのだろう。

『朝日新聞』記者だった早野透と私は『寅さんの世間学入門』（ベストブック）を出したが、渥美が最期まで演りたかったのが、落魄の俳人、尾崎放哉の役だった。早坂暁が脚本を完成させたのに、寸前になって渥美が降りた。寅のイメージが強すぎて笑われてしまうのではないかと思ってだという。

一八八五年、鳥取に生まれ、旧制一高から東京帝国大学法科を出て東洋生命に入社しながら、酒乱ゆえにサラリーマン生活を棒に振り、最後は小豆島の小さな庵の堂守となって四二年の生涯を閉じた尾崎秀雄こと尾崎放哉には、

咳をしても一人

死にもしないで風邪ひいてゐる

何がたのしみで生きてゐるのかと問はれて居る

といった壮絶な句がある。

渥美自身も、風天という俳号で句をつくったが、

ゆうべの台風どこにいたちょうちょ

貸しぶとん運ぶ踊り子悲しい

などの句には、やはり、放哉の影がさしている。

渥美は一九九六年に亡くなった。私との共著の「はじめに」で早野は『男はつらいよ』に「疲れた心を癒してもらった」と書き、「寅さんといっしょに、マドンナに次々と恋をした。佐高は浅丘ルリ子が好きみたい。早野は吉永小百合びいき」と続けている。

（二〇二〇・二・一九）

札つきでない不良

反社会的勢力とは暴力団よりも安倍（晋三）政権のことを言うのだとして笑い話にしていたが、安倍はイカサマ商法のジャパンライフのドンを「桜を見る会」に招いたりして笑い話にならなくなってしまった。

私も参加して暴力団排除条例の行き過ぎに反対する記者会見をやったのは二〇一二年の一月である。宮崎学がオルグして列席したのは辻井喬（堤清二）、田原総一朗、西部邁、鈴木邦男、青木理、そして私だった。

『東京新聞』の「こちら特報部」では、私が「無菌状態に近い社会は非常に弱い社会だ」と疑問を呈し、「法は行為を罰すべきだが、この条例は身分を罰している」と異議を唱えたと報じた。

呉越同舟ならぬ左右同舟で西部邁と私が並んだことより、当時、激しくケンカしていた田原と私が同席したことに記者たちは驚いたらしい。

太宰治の『斜陽』（新潮文庫）にこんな一節がある。

「世間でよいと言われ、尊敬されているひとたちは、みな嘘つきで、にせものなのを私は知っているんです。私は世間を信用していないんです。札つきの不良だけが、私の味方なんです。札つきの不良。私はその十字架にだけは、かかって死んでもいいと思っています。万人に非難せられても、それでも私は言いかえしてやれるんです。お前たちは、札のついていないもっと陰険な不良じゃないか、と」

たとえば総会屋という「札つきの不良」がいる。竹中平蔵や現実知らずの学者たちは、総会屋をなくせば会社はよくなるめいたことを言っているが、総会屋は会社の暗部があるから出てくるのであり、決してその逆ではない。

粉飾決算や派閥争い、あるいはトップのスキャンダル等の暗部がなくならない限り、次々と総会屋は生まれてくるのである。

つまり、東京電力元会長の勝俣恒久や関西電力前会長の八木誠の方が「札のついていないもっと危険な不良」なのだ。

福井県高浜町の元助役、森山栄治を極悪人にし、八木や前社長の岩根茂樹は自分たちを被害者のように装ったこともあったが、恐るべき、あるいはコッケイな倒錯である。森山を誰が産み、育てたのか。それは強引に原発を推進した関西電力の経営者以外ないだろう。

同じことが暴力団排除条例についても言える。社会が病んでいるから暴力団は出てくるという視点がなければ、暴力団はなくすることができないはずなのに、簡単にレッテルを貼って、排除すれば社会がよくなるといった単純な発想で条例や法律がつくられ過ぎる。

『突破者』（幻冬舎文庫）の宮崎学は、暴力団というかヤクザがいない国は世界にただ一つだけあると言った。それは北朝鮮である。それには、トップがヤクザだからというオチがつくのだが、日本の政府や警察官僚は北朝鮮を目標としているわけではないだろう。

太宰の言う「不良」を「反社会的勢力」と置き換えれば、そもそも誰がそういうレッテルを決めるのかということである。

私は、「どうでも」が付くことの多い「いい人」より、どちらかと言えば反社会的勢力の「不良」に親近感を抱く。


（二〇二〇・二・二六）

右傾化とは男性化

ドキュメンタリー映画『愛国者に気をつけろ！』を見に行った。右翼に一番憎まれている右翼の鈴木邦男の軌跡を追った映画である。

上映後、トークがあったが、私より二歳上の鈴木の衰弱は激しく、声をかけるのもためらうほどだった。

そこで求めてきた『彼女たちの好きな鈴木邦男』（邦男ガールズ編、ハモニカブックス）に思わず膝をたたいた鈴木の至言があった。『週刊女性』の二〇一七年六月六日号で放った「右傾化って、要は男性化なんです」である。それを鈴木は次のように説明する。

「近隣諸国と仲よくする。少なくとも戦争はしないという合意を取りつける。それがいちばんの安全保障。なのに、韓国、中国に負けるな、やっつけろ。軍備を強固にしろ、核を持てなんていう人もいます。国家が強くなったら自分まで強くなれたような錯覚を持つ。反対ですよ。国家が強く大きくなるほど、反対にひとりひとりは弱くなる。／強い日本、強い憲法を作ろう、軍備を増強しろという男性は、自分たちのテリトリーに踏み込まれるのが怖い。女性に対してもそうです。企業でも政治の世界でも女性がどんどん強くなって、活躍するのを恐れている」

これは保守、革新を問わないことは言うまでもない。

『朝日新聞』二〇一〇年七月一六日夕刊の「ニッポン人脈記」の「毒に愛嬌あり」シリーズで私のことが取り上げられ、その年の二月に私との共著『左翼・右翼がわかる！』（金曜日）を出した鈴木が、私についてこうコメントしている。

「相手の実名まで出してバッサリ斬るには、相当の覚悟がいる。訴えられもするし、嫌がらせの電話も家にかかってくる。その蛮勇には、ただただ敬服。しかも、情け容赦なくやっているようで、弱い立場の人は絶対に標的にしていない」

恐れ入るばかりの過褒だが、これは鈴木にこそ当てはまるだろう。

わが師の久野収は林達夫との対話『思想のドラマトゥルギー』（平凡社）で、

「日本の左翼に一番不足するところは、ファシズムから左翼へ移った人物が非常に少ないということにあるんじゃないか」

と発言して、林に、

「それは気がつかなかったな。鋭い指摘だよ」

と感心されている。左翼から右翼へは掃いて捨てるほどいるが、鈴木のように「右翼からリベラルへシフトしてきた人」はほとんどいない。

久野は、そうした例として、「ファシスト体験をくぐって政治的左翼に出てきた」ポール・ニザンを挙げ、「権力政治というものを身に引き受けて知っていて、上からの権力政治に下が操作されたらどういう結果になるかを実際に体験している」彼は、そういう操作に憤激して、独ソ協定に反対し、ついにはフランス共産党を脱党することにもなった、と解説している。

『彼女たちの好きな鈴木邦男』の巻来座談会では「色気はあるけどエロくない」鈴木について「がっついていないからね。激情や欲情を綺麗な和紙で包んでいる感じ。だからなんかこっちが警戒しない」とも語られている。

（二〇二〇・三・一一）

公明党は共犯者

創価学会ウォッチャーの乙骨正生が発行する『月刊フォーラム21』二〇二〇年二月号の編集後記に、京都市長に四選した門川大作のことが次のように書かれている。

「池田大作氏と同名の門川市長は、京都市教育長時代に創価学会教育部の会合にたびたび出席するとともに、池田氏の教育理論を京都市の教員研修に採用したことで知られる人物。それだけに公明党そして創価学会は、門川候補の当選に注力しました」

公明党は政権のブレーキ役などと言っているが、まったくそうではない。自民党と一緒になって利権をむさぼっている。その象徴が「桜を見る会」だろう。「首相枠」や「自民党枠」の他に「公明党関係者」が参加していただけに、それこそ疑惑解明のブレーキ役となっている。

二〇一九年春のその会で、公明党代表の山口那津男と並んで乾杯した安倍晋三はこんなあいさつをした。

「公明党の山口代表をはじめご来賓のみなさま、お忙しい中、こんなにたくさん、足を運んでいただきました」

「今回の『桜を見る会』、六四回目ですが、山口さんやみなさんと共に政権を奪還してから、七回目の『桜を見る会』となりました」

図らずも「政権奪還」に功労のあった人たちを招いたことを自白している。

安倍の後援者が集まった「前夜祭」の領収書や明細書の問題にしても、与党である公明党が明らかにせよと迫れば状況は変わってくるはずなのに、隠ぺいに手を貸している。

すでに公明党は自民党の共犯者なのだ。それを間違えて、野党側は京都市長選などで反共連合に加わってしまった。

「共産党市長はノー」の広告にしても、自民党や公明党はそれぐらいのことをやることは分かりきっているではないか。「不明を恥じよ」と言いたいが、そもそも、彼らと手を組むことが間違いだったのだ。敵は共産党ではなく公明党および創価学会なのである。

いま、『AERA』に佐藤優の「池田大作研究」が連載されている。副題が「世界宗教への道を追う」で、一〇回目のタイトルが「弾圧被害者でありながら天皇を恨まず前を向く」。

読んでいて吐き気のするチョーチン記事である。二〇一九年一一月一三日付の『社会新報』で佐藤を「新・原発文化人」と指摘したが、いまや佐藤は創価学会と公明党の大弁護人。「桜を見る会」疑惑追及もいいかげんにしろと言う始末。

この佐藤を仙台で開いている「佐高信 政治塾」に招いたのは二〇一一年の春だった。社民党の支援者、中でも社青同（日本社会主義青年同盟）出身者が少なくない出席者を前に佐藤は切り出した。

「私は実は高校生の時は社青同でした。社会主義協会の向坂逸郎先生の門下でした。それで仙台は社会主義協会、社青同の拠点ですから、強く憧れました。少し、歴史の運命が違っていたら、東北大学でマルクス経済学を学び、社会主義協会の専従になっていたかもしれません」

「宗教はアヘンなり」のはずなのに、クリスチャンになり、果ては創価学会を持ち上げる。そこまで堕落した佐藤を見て、つくづく、問題は過去ではなく、いま何をやっているのかなのだと思うばかりである。

（二〇二〇・三・一八）

古関裕而のエール

ＮＨＫは二〇二〇年三月の三〇日から作曲家の古関裕而夫妻をモデルにした連続テレビ小説「エール」を放送するという。古関の故郷の『福島民報』が主催した「あなたが選ぶ古関メロディーベスト30」によれば、一位が「高原列車は行く」で、以下、全国高校野球選手権大会歌の「栄冠は君に輝く」、「長崎の鐘」、「オリンピック・マーチ」と続く。

しかし、一六位の「暁に祈る」や二八位の「若鷲の歌」、そしてベスト三〇には入っていないが、

〽勝って来るぞと勇ましく

の「露営の歌」を忘れてはならないだろう。

西条八十作詞の「若鷲の歌」は

〽若い血潮の予科練の
　七つボタンは桜に錨

と始まる。

西条と古関のコンビで作られた「比島決戦の歌」には、

〽いざ来い
　ニミッツ　マッカーサー
　出て来りゃ地獄へ逆落し

とまで書いたので、西条と古関は、戦後、米軍によって絞首刑にされるのではないかと恐れたらしい。

しかし、古関は自らの戦争責任を反省することもなく、今度は一転して原爆許すまじの願いをこめて「長崎の鐘」を作った。

古関の自伝『鐘よ鳴り響け』（主婦の友社）によれば、古関は一九四五年に入ってまもなく、海軍人事局から「特幹錬（特別幹部練習生）」の作曲を依頼される。作詞は西条で、「若鷲の歌」以上のものを期待すると言われたという。

ところが、三月に入って突然、召集令状が届く。古関は驚いて海軍人事局に飛んで行き、令状を見せて、おかしいではないかと抗議した。

古関は本名が古関勇治で、福島連隊区司令部では、その人が古関裕而とは気付かず、令状を発行してしまったのである。

担当将校はそう説明した後で、

「しかし、一度出した召集令状は取り消すことはできません。いま、『特幹錬の歌』の作曲をお願いしている時ですから、作詞ができるまで一週間くらい、入隊していらっしゃい。ちょうど体験のためにはいいチャンスで、いい作曲ができるでしょう。海軍の人事はすべてここの管轄ですから、間もなく召集解除します」

と言った。そして約束通り、およそ一ヵ月後に解除となったのである。軍歌を作曲したことでそうなったことについて、古関は何の矛盾も感じていない。

歌は時に軍人の号令以上に人間を動かす。一七歳で海軍に〝志願〟し、「若鷲の歌」などを歌った城山三郎は、拙著『酒は涙か溜息か――古賀政男の人生とメロディ』（角川文庫）に触れて、古関の話をすると、

涙を流しながら、

「激しい怒りを感じる」

と身体をふるわせた。

〽あああの顔であの声で

　手柄たのむと妻や子が

の「暁に祈る」も城山は歌ったことがあるに違いない。

ＮＨＫのドラマの題名は「エール」とのことだが、誰へのエールなのかということである。

多分、ＮＨＫは古関の戦争責任を追及するような展開にはしないだろう。

しかし、私は城山の怒りの涙を目の当りにして、その追及を忘れたくはない。古関は自衛隊の隊歌も作っている。

（二〇二〇・三・二五）

山本政弘さん

日本社会党の機関紙局長や副委員長を歴任したこの人には見出しだけでも敬称をつけたい。

私が社会党やその後の社民党を応援したのには山本に対する人間的信頼があった。

現世田谷区長の保坂展人が衆議院議員選挙に出る集会が、多分、最初の出会いである。

保坂や私の生硬な演説に後方の席で耳を傾ける姿に庄倒的な存在感があった。山本を思うと、話すより聞く姿が目に浮かぶ。

以来、親交を結ばせてもらったが、拙著を送ると、律儀に読後感を寄せてくれた。久しぶりに、その論稿を集めた『遠く、けわしくとも』（しらかば工房）を開く。編者は『朝日新聞』元政治部長の羽原清雅。

二〇〇四年春に出たこの本の巻頭で「社民党国会議員の半分が民主党に流れていった」ことをどう考えるかという羽原の問いに山本はこう答えている。

「かつて社民党から民主党へ流れていった人が衆参両院で四〇人いた。当初は民主党内でも大きなグループで、発言・影響力があったが、ご存じのように、今は一五人ぐらいで存在感もなくなっている。横路孝弘さんは小沢一郎さんと安全保障政策で一致した。この経過をみても、社民党から民主党へ行って立党の意思を通すことは無理だ。今の民主党に、社民党から一二人の国会議員が行って果たして、インパクトがありうるのか。あるとはまったく考えられない。それでも民主党に合流したいとする人は、政治の考え方より『自分をいかに守るか』という私利私欲しかないのではないか」

もちろん、また情勢は変わっているが、かみしめるべき先達の言だろう。

連帯、連帯が声高に叫ばれると、私は逆に無頼のジャーナリストの竹中労の次の至言を打ち返したくなる。

「人は、無力だから群れるのではない。あべこべに、群れるから無力なのだ」

山本は土井たか子の相談役でもあった。その土井について語る一文の中で、委員長の土井の足を党幹部が「露骨ともいえるほど」引っ張り、土井が意見を求めても、「よく素っ気ない返事をした」と書いている。

「社会党にとって、労働組合運動と市民運動は、車の両輪である。労働組合が市民運動の発想を学び、さらに新しい市民運動を盛り上げ、それらと提携する中で、社会党は新たな発展が期待される。しかし労働組合運動は極度な経済主義に陥り、社会的視野を欠落していた。問題意識はあったかもしれないが、運動がなかったことは、明らかである」という山本の指摘は、社会党が社民党になっても、いや、なったからこそ有効である。

土井は「市民・女性・若者」を政治の場へ登場させ、労組依存から、より広汎な市民を基盤にした政党へ脱皮する手がかりをつかんだのではないか、と山本は期待した。しかし、その後の歩みは残念ながらそれに反している。

服部良一の『つなぐ力　つながる力』というレポートで、今度、常任幹事となった大椿裕子が、社民党の存続について、「徹底して政治や社会から切り捨てられる側に立つ」と主張し、「中途半端なポジション」にいても存在意義はないと言っているが、その通りだろう。

（二〇二〇・四・一）

ミドル残酷社会

森友問題での安倍晋三の責任逃れというか、責任なすりつけによって財務省の職員が自殺する結果になったが、忖度(そんたく)社会のこの国では、しばしばミドルが自殺に追い込まれる。

『朝日新聞』の「ウィークエンド経済」欄に似顔絵つきで『新・会社考』を連載していたころ、「自殺しない日本の社長」と題して、おおむね次のように書いた。

決して自殺をすすめるわけではないが、日本の大手企業の社長は自殺しない。

米国のコンチネンタル航空のフェルドマン会長が一九八一年に自殺した。ビジネス上の失敗がその理由だったが、このように、ビッグビジネスのトップが自殺することは米国では少なくない。

しかし、日本で汚職や倒産などの責任を負って、大手の銀行や鉄鋼会社のトップが自殺することはない。かわりに、部長や課長などのミドルが自殺する。

一九七六年にKDD密輸汚職事件が発覚した。元社長の板野学や元社長室長が業務上横領の罪に問われ、一九九一年三月に東京高裁で二審判決が出たが、収賄罪の郵政省元幹部職員を含めて、板野以外は一審で執行猶予付きの懲役刑を受け、それに服したのに対し、板野だけがまだ争っている。

この陰で、これまで事件に関わった二人のKDD社員が自殺したことは、もう忘れられた感じである。

こう書いたら、板野の弁護士から脅しの内容証明便が来た。それで私は知人の弁護士に頼んで、名誉棄損で訴えたら、こちらも誣告(ぶこく)罪で訴えるぞと内容証明便を返したが、安倍と同じく板野もまったく反省などしていなかった。社員や職員を死なせた痛覚など、彼らはカケラも持ち合わせてはいない。

よく、米国の会社はトップダウンで日本の会社は社員の意向をくみあげるボトムアップだと言われる。しかし、それはうまくいった場合のことで、何か問題が起こったら、トップは「オレはそんなことは命じてないよ」ということが実際に通るのが日本の会社である。

上司から命じられて動くのでは出世はおぼつかない。上司の意をくみ、先まわりして動くから、都合が悪くなったら上司は責任を逃れられる。部下は結果的に勝手にやったということになり、追いつめられて自殺する。

板野と自殺した二人の部下の姿が、それを象徴的に物語っている。

自分が命じたのだから責任も自分がとるというトップダウンか、部下に存分に仕事をさせているように見えて最後は逃れられるようになっているボトムアップか。

単純にボトムアップがいいとは言えないことを「社長が自殺しない」日本の会社の現実が苛烈に教えている。

そのコラムを私はこう結んだのだが、いずれにせよ、この国はミドルにとって残酷な社会である。

都はるみに「大阪しぐれ」という歌がある。その中に「尽し足りない私が悪い」という歌詞があるが、艶歌はミドル残酷社会の怨み歌なのであり、板野らと同じく安倍および麻生太郎の責任逃れを許してはならない。

（二〇二〇・四・八）

中立幻想

自分は右でも左でもないと前置きする姜尚中や中島岳志には、どうしてそんなに及び腰になるのと声をかけたくなる。大体、そうしたレッテルは他人が貼るものだろう。自分で付ける必要はない。姜も私と『日本論』（角川文庫）を出したころまでは、もっとシャープだった。それこそ右顧左眄せず勢いのいい発言をしていた。しかし、最近はどっちつかずの、どうでもいいコメントが多い。現実批判ではなく現実解説になった。

水俣病の原因はチッソが出す水銀だと告発した原田正純は、朝日新聞西部本社編『原田正純の遺言』（岩波書店）の中で、医学者や研究者の中に「政府がらみのものは避けたい」という変な中立主義めいたものがあることを批判し、こう言っている。

「AとBの力関係が同じだったら、中立というのは成り立ちますよ。だけど、圧倒的に被害者のほうが弱いんですからね。中立ってことは『ほとんど何もせん』ってことですよね。『何もせん』ってことは結果的に、加害者に加担しているわけです。全然中立じゃない。権力側に加担している。それこそ政治的じゃないかと思うんだけど。ところが被害者側に立つと『政治的だ』と言われる。逆ですよね」

二〇一一年六月に出した拙著『原発文化人50人斬り』（毎日新聞社、のちに光文社知恵の森文庫）を贈って、すぐに原田からもらった礼状がある。そこに原田は「日頃の溜飲が下がりました」と繰り返し書いている。

今度のコロナ騒ぎでもそうだが、水俣病の問題で、いわゆる御用学者から原田はさんざんに叩かれた。だから、〝原発文化人〟を斬った拙著に「溜飲が下が」ったのである。

原田は二〇一二年六月一一日に七七歳で亡くなった。その翌年に私は『原田正純の道』（毎日新聞社）を出したが、副題は「水俣病と闘い続けた医師の生涯」である。

そこに私は、私との対談で語った原田の次の発言を引いた。

「私などは『おまえは患者側にひっつきすぎている』とよくいわれました。私に好意的な人でさえ、『あなたのデータは信用しているけれども、あまりに患者に近づきすぎているから、正しいデータでも偏ったデータだと思われるよ』というんです。好意で忠告してくれているんですけど。

でも、だったら会社にデータをよこせといいに行けば、会社が協力するかというとしないわけです。ヘンな世界ですよ」

私は、人間には二種類あって、口をとがらせる人と、とがらせない人がいると思っている。

口をとがらせない人の代表が官僚で、彼らは感情がないのか、あるいは感情を殺すことに慣れてしまったのか、口をとがらせるようなことはほとんどない。

一方、口をとがらせる人は怒りの人であり、自分の信ずるところを熱く語る。

後者が私の友だが、原田はもちろん怒りの人であり、また、深い笑顔の人だった。

私は原田の笑顔が大好きだった。最初に会ったのは一九九六年に熊本で開かれた「川辺川ダム建設反対集会」だったが、何よりもその笑顔に魅せられた。

「常に患者の側に立つ。それこそが中立だ」と原田は不屈の抵抗を秘めた笑顔で語った。

（二〇二〇・四・一五）

深山の桜

国威発揚の道具にしかなっていないオリンピックなどやめた方がいいと思うが、マラソン候補選考に関して瀬古利彦が出てきて、「ドキュメント師弟」で取材した時のことを記憶の底から呼び戻した。瀬古の師はベルリン・オリンピックに出場した中村清である。

国立競技場の記者会見場に現れた中村は長身で、記者たちを睥睨（へいげい）するように立ち、瀬古について、こうまくしたてた。

「このバカが、去年の四月にニュージーランドから帰って来た時、ウォッカかブランデーかしらんが、チャンポンで飲みやがって、裸で寝て腹を冷やした。それで、肝臓がイカれたわけです。肝心要の肝臓がイカれたというので、私はそれから、五月、六月、七月の三ヵ月間まったく寝られなかった。天下の瀬古と言われるけど、こんなものポンコツだと思いました」

これを瀬古は隣で平然と聞いている。萎縮するでもなく、かといって悪びれるでもなく、ニコニコした感じで聞いているのである。

一九八四年六月のある日だった。翌年、中村は亡くなる。

元憲兵隊長の中村の眼は底光りして威圧的だったが、「深山の桜」の話が忘れられない。

中村は以前よく、北海道の知床半島へクマ撃ちに出かけた。ある時、道なき道を分け入って、千島桜の老木がきれいな桜を咲かせているのを見た。その時の感動を中村は瀬古に話す。

「知床の桜は見てくれる人もいないのに、毎年花をつける。お前も、誰も見ていなくても、一生懸命練習しなくてはいけない。練習は人に見せるためのものではないんだ」

瀬古は一度、中村に破門されかかったことがある。瀬古が早大二年の冬の福岡マラソンで日本人トップの成績でゴールインしたが、報道陣に囲まれて中村のところへ行けなかった。

中村はいのちがけで育てている愛弟子の活躍を喜びながらも、まず、自分にあいさつするという礼を欠いた瀬古を許せないと思い、破門を決意する。

自宅に下宿させていた瀬古に、即刻引き払って家に帰れと言うとともに、三重県の桑名市の瀬古の家に電話をかけ、父親の勇に「礼儀も知らん人間の面倒をみるわけにはいかん」と怒りを爆発させた。

しかし、その時、勇は「ハイ、そうですか」とは引き下がらなかった。

「私は、息子のすべてを先生に託したのです。煮るなり焼くなり勝手にして下さいと申し上げました。もし、礼を欠いたと言われるなら、その責任は先生にもあるのではありませんか」

貧苦を越え、死線を越えてきた中村に、息子を思う勇も負けていなかった。師と親の、この白刃をのんでのヤリトリに、二一歳の瀬古は深く反省した。

福島県の富岡町に「夜(よ)の森」の美しい桜並木がある。これを記念して桜文大賞を設け、私は小室等、吉永みち子、杉浦日向子と共に審査員として何年か通った。

その後、東日本大震災による原発事故で夜の森の桜は見ることができなくなった。

「原発が開く美しい未来」とかいう看板が掲げられていた町の桜が、いわば〝深山の桜〟となってしまったのである。もちろん桜には罪はない。


（二〇二〇・四・二二）

懐疑なき軽信

「信じるなよ、男でも、女でも、思想でも。ほんとうによくわかるまで。わかりがおそいってことは恥じゃない。後悔しないためのたった一つの方法だ。威勢のいいことを言うやつがいたら、そいつが何をするか、よく見るんだ。お前の上に立つやつがいたら、そいつがどんな飯の食い方をするか、他の人にはどんなものの言い方をするか、ことばやすることに、裏表がありゃしないか、よく見分けるんだ。自分の納得できないことは、絶対にするな。どんな真理や理想も、手がけるやつが糞みたいなやつなら、真理も思想も糞になる」

これは五味川純平の『戦争と人間』（三一書房）で、親のない二人だけの標兄弟（しめぎ）の兄の方が兵隊にとられて出征する前、まだ幼い弟に言うセリフである。

これほど鋭く、日本人の軽信をついた言葉もない。懐疑をくぐらない、深い懐疑によって鍛えられない軽信をするからこそ、この国の人間は簡単に裏切られて、「だまされた」と騒ぐことになる。

この作品の「感傷的あとがき」に五味川は「ペンは剣より強し、と昔の賢人は言ったそうだが、果たしてそうか。私の眼には、ペンは邪剣に奉仕するに忙しいようである」と書いている。

二〇二〇年四月五日号の『サンデー毎日』に寄せた五味川純平論で、冒頭のセリフの前半部分を引いた。しかし、後半部分も大事だと思ってあらためて引用したが、この大作の助手をつとめたのが澤地久枝だった。

私は澤地との共著『世代を超えて語り継ぎたい戦争文学』（岩波現代文庫）で、澤地の聞き手となったが、

「今では、五味川さんはやはり、忘れられた作家なのでしょうか」

という私の問いに澤地は、

「残念ながら、そう言っていいと思います」

と答えている。

五味川の生まれたのは一九一六年三月一五日。五味川は、

「私の誕生日はいやな日なんだ。確定申告の日だ。それから三・一五事件の記念日だろう」

と苦笑していたとか。

旧満州に生まれ、その地で育って、一九四五年八月一三日、ソ連（現ロシア）と満州の国境でほぼ全滅した歩兵二七三連隊の生き残りである五味川は「天皇を架空の頂点とする軍隊という独善的な、ある種の男は死なずに済むように出来ている巨大な組織」について、書き残さずには死ねないと思って、大ベストセラーとなった『人間の条件』を世に送り出した。

そして次に『戦争と人間』に挑んだのだが、五味川は、

「国民は被害者であるだけじゃない。むしろ無責任に〝勝った〟〝勝った〟と言って、批判的な人間に〝おまえはそれでも日本人か〟という目を向けたではないか。そういう加害責任をおれは問うぞ」

と澤地に言っていたという。ある大学教授は『戦争と人間』を小説としてではなく歴史として読めと学生にすすめたそうだが、五味川は「若い人に読んでもらいたい」と言った。

いまから四〇年近く前、ガンにかかって喉頭を摘出し、その後必死に取り組んだ食道発声によってである。その絞り出すような声が私の耳に残っている。

（二〇二〇・四・二九）

おわりに——皮相家、内田樹批判

「思想家」とはなかなか名乗れないが、そう自称する内田が元号について、こうコメントしていた。

「問題は政権が元号発表を政治ショー化したことだ。首相や官房長官ら現政権側が大量にメディアに露出し、お祭り気分をあおることで、政治的な難問は棚上げされた。統一地方選の最中でありフェアではない。元号のような文化的な制度にこのように露骨に政治的な策略を絡めたことについては、私は元号擁護論者として強い不快感を覚えている」

ここに内田のユルさ、あるいはヌルさが隠しようもなく出ている。「天皇主義者」らしい内田の〝批判〟では、政権側は痛くもかゆくもないだろう。フェアをめざさない安倍たちにフェアを求める愚かさに気づいていないからだ。

問題は「政治ショー化」されたことにあるのではなく、元号そのものにあるのである。

内田のようなまがいもののリベラリストではない、本物のリベラリストの石橋湛山は一九四六年一月一二日号の『東洋経済新報』に「元号を廃止すべし」と題して次のように書いた。

「此の支那伝来の制度のために常に我が国民はどれ程の不便を嘗めているか。早い話が大宝元年というても、西紀の記入でもなければ、何人も直ぐに何時頃の事か解るまい。況や欧米との交通の繁しい今日、国内限りの大正昭和等の年次と西暦とを不断に併用しなければならない煩わしさは馬鹿馬鹿しい限りだ」

自民党総裁選挙で岸信介を破って首相となりながら、病に倒れてまもなく辞任した湛山がこう主張したのである。それなのに現政権を批判する内田が元号を擁護するのには呆れてしまう。内田は湛山の爪のアカでも煎じて飲んだ方がいいだろう。

内田は『サンデー毎日』の二〇一九年四月一四日号では「メディアでは、相変わらず歯切れよく、完膚なきまでに論敵を叩きのめすことのできる非情で怜悧な論客がもてはやされる。けれども、そんなスマートな人たちの頭数をどれだけ揃えても、国民的な分断は架橋されず、和解は果たせない」と見当違いのことを言っている。

私などは「和解」を求めない安倍たちに、やむをえず「非情」になって糾弾状を突きつけているのだが、「もてはやされる」どころか、どんどん発表の場を狭められている。そうした現状に鈍感だから、内田はノンキなトウさん的言辞を吐きつづけていられるのだろう。

ベストセラーとなった内田の『街場のメディア論』（光文社新書）を取り上げて、西部邁と論じたことがあった。

「ベストセラーの常なのかもしれませんが、そんなに毒は盛られていないんですよね」と私が切り出すと、西部は「何も盛られていない」と応じ、こう続けた。

「毒どころか飴玉が結構盛り込まれている感じがするね」

つまり、読者は毒がないことで安心するのである。それが天皇主義者としての元号擁護だったりの〝飴玉〟となる。

天皇および天皇制について、内田は、「危なっかしいものだから遠ざけておく」という考え方が実は一番危ないのではないか、と言っている。

しかし、内田のように支持してしまえば、それは危なっかしくも何ともなくなるだろう。

思想とは毒をもって人間を揺さぶるものだと考える私などにとっては、それのない内田が「思想家」を名乗れることが不思議でならない。権力側から見れば、内田は無害な解説屋であり、皮相家である。とても思想家のレベルには達していない。

こうした内田のような人間がはびこる限り、「すべて世はこともなし」で、安倍政権は安泰となるのである。

「筆刀両断」はメルマガのまぐまぐに、「思郷通信」は郷里の『荘内日報』に、「佐高信の眼」は『社会新報』に連載したものである。最後の内田樹批判は『創』の連載から引いた。それぞれの担当者と、そして、このような形に編んでくれた旬報社の木内洋育さんに感謝したい。

二〇二〇年八月一日

佐高　信

［**著者紹介**］ **佐高 信**（さたか・まこと）

一九四五年、山形県酒田市生まれ。慶應義塾大学法学部卒業。高校教師、経済誌編集長を経て、評論家となる。
主な著書に、『なぜ日本のジャーナリズムは崩壊したのか（望月衣塑子との共著）』『どアホノミクスよ、お前はもう死んでいる（浜矩子との共著）』『偽りの保守・安倍晋三の正体（岸井成格との共著）』（講談社＋α新書）、『池田大作と宮本顕治』（平凡社新書）、『偽装、捏造、安倍晋三』（作品社）、『幹事長 二階俊博の暗闘』『官房長官 菅義偉の陰謀』（河出書房新社）、『国権と民権（早野透との共著）』『いま、なぜ魯迅か』（集英社新書）、『反―憲法改正論』（角川新書）など多数。

佐高信の徹底抗戦

二〇二〇年九月二五日　初版第一刷発行

著者……………佐高 信
装丁……………佐藤篤司
発行者…………木内洋育
発行所…………株式会社 旬報社
〒一六二-〇〇四一 東京都新宿区早稲田鶴巻町五四四
TEL 03-5579-8973　FAX 03-5579-8975
ホームページ http://www.junposha.com/

印刷・製本……中央精版印刷 株式会社

 ISBN978-4-8451-1649-2